中国の衝撃

溝口雄三——［著］
Mizoguchi Yuzo

東京大学出版会

The Impact of China
Yuzo MIZOGUCHI
University of Tokyo Press, 2004
ISBN4-13-013022-6

中国の衝撃　目次

序　〝中国の衝撃〟

第二の衝撃

私がここで〝中国の衝撃〟という題名を使うのは、あのアヘン戦争以来のいわゆる〝西洋の衝撃〟を暗黙の前提にしてのことである。といって、決して〝中国の衝撃〟が、かつての〝西洋の衝撃〟に今や取って替わろうとしている、と単純に言おうとするのではない。ただ、多くの共通認識として、われわれ日本は、〝西洋の衝撃〟を衝撃として真正面から受けとめ、「文明開化」という名の西欧化を推進して現在に至っているのだが、その「外から」の衝撃の意味を、二十一世紀の今日、日本人の立場で、東アジアの「内から」見直してみようという意図がこの〝中国の衝撃〟という言葉にこめてある。

私たちはこの数年間、「日中・知の共同体」という活動を続けてきて(1)、知が国境を越えることの難しさを十分に認識してきた。にもかかわらず、二〇〇一年一月の北京での会議のテーマとしてわれわれ日本側が提案した「日中間の歴史認識問題」に対して、彼らが内陸部の農村問題を国際的にさし迫った問題として逆提案してきたときには、階段を踏みちがえたような意外感に襲われずにはいられなかった。過去の問題よりも現在から未来の問題をという趣旨として、われわれは彼らの提案に同意したが、割り切れなさは残った。日中問題を真面目に考えている日本の知識人にとって、「日中間の歴史認識問題」は両国間の懸案事項の一つとして、避けて通れない課題と自覚されてきたのに対し、中国の知識界では、「謝罪しない日本人」にわだかまる中国の国民一般の感情とは違って、「歴史認識問題」は必ずしも重要課題とはなっていないのだった。察するにそれは彼らにとって、相互に議論する問題というよりはおそらく「あなた方日本人」の道義の問題でしかないと見なされている。他方、農村問題は地球人口、難民流出、アジアにおける南北問題など、彼らにとってグローバルな問題の一つとして位置づけられており、その位置づけからすれば確かに日中間の歴史認識問題は局地的であり、課題としてのプライオリティも高くない。韓国の知識人が日韓間の歴史認識問題に示す日本との等身大の関心の高さは、中国には見られないのである。

日中間の知の間には、明らかに日韓間には見られない断層がある。私にとってその断層の存在は意表外のことであったが、もっと深刻なのは、日本人の大多数がこの断層に付与されている意味に気づいていない、ということである。このことについては後で触れる。

日本人が近代以降の西欧化をいうときに念頭に浮かべる語の一つに「脱亜入欧」があるであろう。アジアを脱するというときの「アジア」は地理的な概念ではなく、文明概念であり、具体的にはそれは中華文明圏のことであった。中華文明圏を離脱して西欧文明圏に入るというのだが、ただしそれは単にAからBに移転したという話ではなく、後れた文明から進んだ文明に移転するという、明らかに価値の優劣判断を伴った話であった。

福沢諭吉に「脱亜論」という論文があることは有名だが、その論文のなかで、離脱すべき「アジア」を彼は、「亜細亜の固陋《ころう》」「古風旧慣」「儒教主義」「陰陽五行」「仁義礼智」「外見の虚飾」「残酷不廉恥」「一室内に閉居」「古風の専制」「無法律の国」などの言葉で形容している。これらの語は、当時の朝鮮国内の改革派の挫折という状況を反映したもので、そういう状況への福沢の苛立ちがこめられていると見なければならないが、しかしこういった「アジア」評というものは、とくに日清戦争以後、日本ではごく一般化し、民衆レベルまで浸透していったものであった。

問題は、以来、戦前の大東亜構想とか、興亜主義とか、アジア主義の出現、また戦後のアジア民族の独立、社会主義革命からニーズ（NIES、アジア新興工業国・地域）の興起などの状況の変化がありながらも、しかし二十一世紀に入った今日にも、こういった優劣の構図の脱亜入欧観が、日本では依然として根強く生き続けている、ということである。

ところが、中国についていえば、前述の中国の知識人たちの歴史認識問題すなわち謝罪問題や教科書・靖国問題へのある種の冷淡さ、また「知の共同」におけるすれ違いに見られるように、明らかに位相上の何らかのギャップが生じつつある。「脱亜」によってリードしてきたはずの「アジア」、後ろから追随してくると見なしていた「アジア」によって、今はいつのまにかこちらがリードされはじめているという状況、日本人の「脱亜」という認識と現実の「アジア」という事実の間の微妙なギャップ、しかもその現実のギャップにほとんどの日本人が気がついていないという認識上の二重のギャップ。

このギャップを〝中国の衝撃〟という呼称で問題にしたいと思う。

問題を原初の地点に帰して問うてみよう。そもそも、はたして日本は明治以降、中華文明圏を離脱し西欧文明圏に移転したといえるのか、と。

欧化が脱亜ではない

文明圏の移転という考え方は、根拠がないわけではない。実際日本は、明治以降の一世紀半、政治的にも経済的にも西欧との関係は緊密になったし、また文化的にも社会的にも西欧から受けた影響は極めて大きい。だから圧倒的に多数の日本人は誰もが自分たちは西欧文明圏に属していると思っている。

しかし、ここで忘れてならないのは、この一世紀半の間、西欧化したのは日本だけではない、ということである。中国も、易服（服色制の変更）、暦制などいわゆる「政教風俗」の欧化の面で日本に後れをとった[2]とはいえ、辛亥革命（一九一一年）以降は熱心に西欧文明を受容し、二十世紀前半期には、おくればせながら日本と同じように変質している。例えば、社会文化面では、生活慣習、宗教、社会倫理、家族関係などの面で旧来のものを残しつつも、衣服、年号、学制、教科科目などで欧化した。政治制度においても思想文化面における受容においても日本の欧化と基本的には変わらない。一世紀単位の長期の歴史目盛で見れば、中華文明圏自体が濃淡の差はあれ総体として欧化したのであって、日本ひとりが中華文明圏を出て欧化した、というわけではないのである。つまり、われわれは明治以来、文明のうえで欧化した、とはいえるが、中華文明圏から外に出たとは必ずしもいえないのである。また、もし中華文明圏を「固陋」「古風旧慣」「儒教主義」「外見の虚飾」などの語で形容するとすれば、日本だけでなく中国も韓国も基本的にそこから脱却することをめざしてきたのであり、われわれだけがそこから脱出したとはいえない[3]。仔細に考えれば、脱亜とは要するに日本の資本主義化が他のアジア諸国に比べて早かった、ということに尽きる。

日本だけが中華文明圏を脱け出したのではなく、ただ資本主義化が早かっただけというのは以上のとおりであって、資本主義化したことが即時に西欧文明圏入りしたこと、あるいは中華文明圏を出ることを意味するわけではない。そもそもある文明圏の外か内かという考え方自体が、実は文明圏という観念を実体化した考え方で非現実的である。文明圏というのは、実体的なある圏域として存在しているものではなく、単にある一つの関係構造にすぎない。もし実体的に見ようというなら、それはその文明圏に属するとされている民族や国家間の諸々の個別的な関係を見るしかない。つまり政治的・経済的な関係、あるいは文化的・社会的な関係などであってそれを総合する構造というものは抽象的なイメージとしてしか抽出できない。その抽象概念を離れ、事実関係に即して見れば、例えば明治以降の日中関係は、明治以前と多くの点で不変である。社会文化面すなわち社会風俗、慣習、宗教、生活倫理などの面でいうと、津田左右吉がつとに指摘しているように、もともと日中間に共通性は稀薄であり、その点では明治以前も以後も基本的に変わっていない。むしろ、両国が欧化を施して以降は、西暦年号、学校制度、教育科目などが共有されるようになったため、その面からいえば、日本と中国の社会文化面での関係は、皮肉にも欧化以後にかえって共通部分を増している。

思想文化関係では、儒学を受容した近世はもとより、西欧文明圏に移転したといわれる明治以降も、学術界・思想界での中国論についていえば、否定されるにせよ肯定されるにせよ、陰画的であれ陽画的であれ、中国にはつねにもう一人の主役としての座が与えられつづけて現代に至っている。正確にいえば、中国への関心がそうさせたというのではなく、日本を論ずるときの背景装置として中国は欠かせないものであった。つまり日本人はしばしば中国を媒介にして自己のナショナル・アイデンティティを策定してきた。例えば本居宣長の日本主義や吉田松陰の天皇主義は、中国を媒介にした典型例である。卑近な例でいえば、現在でも日本人の多くは自己の近代化の成果を測るとき、「進んだ」ヨーロッパと比較すると同時に、意識的にかあるいは無意識的にか、「後れた」とされる中国と比較して満足感を得るのであり、この場合も中国は日本認識の媒体となっている。つまり、日本人が日本の座標を策定しようとするとき、意識的・無意識的に中国を媒介にして考えるという性癖は、明治以前から以降も、そして現在も不変である。

ここで、ほとんどの日本人が知らないままでいて是非知っておくべきことは、日本に存在する、以上のような意味での中国関心に見合うような日本関心が、中国には基本的に存在していなかったということである。近世の中国にはそれは存在しなかった。明治以降、日本の近代化を学ぶために多くの留学生が渡日したが、関心は大筋のところ、日本自体にあるのではなく、日本という「窓」を通して見たヨーロッパにあった。一九三〇年代の日中戦争時期には日本関心は高まっていたけれど、それは主に戦争の相手国に対する特殊な関心であった。そして、戦後、日本で竹内好が日本論のための中国関心を言説化した、あのような中国関心に見合う日本関心は少なくとも現代の中国の知識界には、ごく少数を除いては存在していない。もちろん日本に関心をもつ中国人がいないというのではない。日本研究者や日本語の学習者、あるいは日本への留学生が少なくないことは周知の事実である。私が言っているのは、具体的な日本関心のことではなく、抽象化された日本関心、すなわち中国問題としての日本関心である。中国問題、世界問題を考えるとき媒介として必要とされる、そういう思想資源としての日本への関心が中国の知識界にはほとんど見られない、と言うのである。

このように、日本における中国関心の持続と中国における日本関心の稀薄さという思想文化面における非対称的関係も、明治以後も明治以前と変わっていない。

以上の少ない例だけからも、明治以降、日本が中華文明圏を出た、という言説が、もし中国との関係が大きく変化したという意味でいわれているとすれば、実態に即していないことが分かる。むしろほとんどの日本人が認めたくないこととして、しかし現実に存在することとして、日本の中国関心と中国の日本関心との非対称的関係は、実は中華文明圏時代からの「中心と周辺」の関係構造の頑固な名残りにほかならないのである。

にもかかわらず、日本が中華文明圏を出た、ということの言説は日本人の大多数に実感的に支持されている。それは、日本人の主観においては、明治維新を境に、尊崇する文明が「文明開化」の合唱とともに中華文明から西欧文明に明らかに移転したからである。

くつがえされる優劣

しかし、前にも述べたように、中華文明圏諸国は、部分ごとに遅速や濃淡の差はありつつも、植民地化した地域も含めて、全体としては欧化を遂げた。であるなら、なぜ日本人は、自己が属すると見なしてきた文明圏全体が欧化を遂げたという考え方に立たないで、自分だけがそこから離脱した、という考え方に固執するのだろうか。それは、一つには、西欧化＝近代化の時間的先後関係を、民族性や歴史過程などにおける優劣関係と見なす考え方に囚われていたからであり、またもう一つには、そのほうが自分たちの（アジアの盟主という）アイデンティティの自足にとって幸便だったからである。

こうして、西欧化をいち早く成し遂げた優者・日本とそれに後れをとった劣者・中国という構図およびアジアの優等生であると自認するアイデンティティの位置づけは、分かりやすさによって日本の一般民衆の間にさえ普及しているが、分かりやすさによって単純化され、形式化され、その結果いくつかの事実が隠蔽されてしまっている。

まず、日中両国の西欧化＝近代化の過程の時間的な先後のように見える差が、実は両者の近代化過程のタイプ（型）の差をあらわすものである、という歴史の実態が隠蔽された（７「二つの近代化の道」参照）。

また、日本を西欧化世界、中国を中華世界という二分法方式で異別することにより、上述のように、両者間に持続する歴史上の不変の共同――非共同的共同――関係が隠蔽された。

タイプの差ということについていえば、福沢諭吉が「脱亜論」を書いたのは一八八五年のことだが、中国でも、一例を挙げれば、すでにそれ以前の一八六六年の段階で、張徳彝《ちょうとくい》や斌椿《ひんちん》らが欧米の議会制度を紹介し、一八七五年には政府中枢の軍機大臣文祥も議会制を「(困難はあっても) 道理として採用すべきだ」と上奏するなど、欧米の政治制度の受容に向けての舵取りは早くになされていたのであり、決して「固陋」な惰眠を貪っていたわけではない。ただ、二千年来の王朝体制そのものの倒壊への歴史過程がそれに先行して進んでおり、欧化への転換は日本ほど身軽ではなく、半世紀の時間は十分にかかったし、その近代過程の前段階も日本や西欧とは異なったタイプの、中央集権体制から地方分権体制（省独立）という過程であったうえ、伝統的な社会文化、思想文化の地盤の特性から資本主義（弱肉強食・競争原理）よりも社会主義（扶弱抑強・協同原理）に融和的であった（Ⅲを参照）などの理由により、資本主義的な近代過程から見れば、後れて進んでいると見えたに過ぎない。当時の福沢にはその複雑な歴史の質の違いが見えていなかったのである。

問題は歴史観にある。私は年来、日中間の歴史認識の問題に関心を抱いているが、私の関心の抱き方は他の人々と同じではない。すなわち他の人々が日中間の歴史認識問題といえば主に日中戦争についての歴史認識の問題としているのに対し、私の場合は、日中戦争の時期も含めて、十六世紀から二十一世紀の現在にいたる日中関係、東アジア関係をどのような歴史の目で捉えるかを、長期の歴史観の問題として問題化しようというのである（詳しくはⅡで後述）。

空洞化をもたらす力学

例えば、日中間に現在発生している問題で、現在形の歴史認識が問われる問題の一つに、日本企業の中国への工場移転の問題がある。

日本の測量機械、光学機器の現状に例をとると、この業界には三大メーカーが存在しており、かつて一九八〇年代末までそれらの製品は、世界の市場に広く受け入れられていた。現在の状況をいうと、その三社はおそらく機器の生産の六〇％以上を中国のメーカーに委託しているか合弁化しており、そのため日本の工場は部分的に閉鎖するか縮小するかを余儀なくさせられている。その上にまた、二〇〇四年元旦の朝刊では、中国（合弁）製乗用車の先進国市場への輸出が開始されるという。聞けば二〇〇三年の中国の車生産量三五〇万台は世界四位で、本年中に三位のドイツの四〇〇万台を追い抜くだろうという。右の光学機器の技術精度が市場相応のレベルに達したとされているように、もちろん車の技術精度も基本的に問題はないとされているのだろう。日本の消費者が農作物や衣類などの生活用品に気を取られている間、わずかこの数年の間に、中国製品化は、光学機器、家電製品から今やついに自動車産業にまで及ぶにいたった。

問題はこの現状をどのような歴史の目で捉えるか、である。西欧文明圏の日本と、中華文明圏の中国、という「脱亜」的な優劣論理でいうと、中国が貧しく賃金も安いから中国人に造らせるのだ、という理解になる。かつて八〇年代にはこの理解は十分に日本国内で通用した。しかし現在の状況はそんな説明で終わるほど生易しいものではない。二〇〇一年末のＮＨＫの日本の中小企業一千社への調査では、ほとんどが不況に苦しみ、その理由として、六二％の企業が取引先から値段を下げるように要求され、三三％の企業が海外から入ってくる製品に市場を圧迫されていると回答している。私の推測では、右の六二％の値下げ要求というのは、大半が海外製品との対抗のためである。

つまり右の三三％を加え、日本の中小企業の九五％が直接的・間接的に海外製品の流入に苦しんでおり、その海外製品とは大半がニーズ圏域および中国大陸で生産された日本製品であり、この状況は二〇〇四年の現在も基本的に変わっていない。関志雄氏（経済産業研究所）が、ある論文で、「中国からの輸入価格の低下は企業にとって生産コストの低下を意味し、生産規模と雇用の拡大を促す力として働く」（「日本の雇用機会を奪っているのは中国ではない」『世界』二〇〇二年一月号）と述べておられるのは、少なくとも光学機器の業界で見るかぎり、現実認識として正確ではない。

前述のように、光学機器の業界では、このわずか数年の間に、これまで台湾や韓国などニーズ圏内で製造されていた日本製品の生産拠点が、急速に大陸中国に移転しており、私の実感では、この業界における日本の海外生産の拠点は、今後為替相場に大きな変動がないかぎり、十年以内に大半がニーズ圏域から大陸中国に移されるであろう。そして同様な現象は他の業界にも見られることなのである。

この現象の理由は、中国国内で精度の高い部品が調達できるようになったこと、中国沿岸部の工業技術、工場の生産管理、製品の品質管理などが急速に向上したこと、そしてそのうえ何よりも、優秀で労働意欲の高い弱年・低賃金労働者が内陸部からほとんど無限に供給されていること、にある。

韓国、台湾そして日本などの周辺諸国の工場は、こうして中国の内部に向けて吸引され、本国の工場は閉鎖や縮小を余儀なくされ、いわゆる空洞化現象が急速に進んでいる。

現在中国における内陸農村部の一億五千万から四億ともいわれる余剰人口問題は、中国の知識人に強い危機感を抱かせているが、この内陸から「盲流」する余剰人口が皮肉にも周辺諸国の生産拠点を自分のほうに求心的に、まるでブラックホールのように、強い力で牽引している。沿岸部工業地帯と内陸部農業地帯と、まるで二つの異なった国のような二層構造をもった中国が、その格差の二層性というマイナス面の作用によって、結果的に周辺諸国の日本にも空洞化現象をもたらしている、ということである。他方、空洞化とは別に、ハイテク産業の分野では中国市場の活性化が急速に進み、いわゆる「中国特需」現象が見られるようになり、日本経済の中国依存度は生産財、消費財の輸出入のいずれの面でも高まりつつある。

このような経済関係は、これまでの日中間の歴史には見られないことである。これをどのような歴史の目で見たらいいのだろうか。少なくとも脱亜的優劣の視点では説明がつかない。また中国や日本という一国の枠組で処理できる問題でないことも明らかである。中国大陸の内陸部におけるこの農村人口問題は、周辺国にとっては難民の発生といった次元の問題だけではなく、空洞化現象にリンクする問題として、つまり自国の経済問題として捉えられるのである。ここには市場経済のグローバル化という現代特有の状況が背景をなしていることも確かだ。そしてさらに、私はここに中華文明圏の力学関係の残影を考えたいと思う。日本の七〇年代の高度成長が八〇年代のニーズ圏域の経済成長をうながし、その格差が動力となって中国大陸に波及して沿岸工業地域を形成し、内陸農村部との格差を生み出した、そしてそれが内部から外部に向かって遠心的に作用しはじめた、すなわち大陸国家としての中国の周辺から始まった経済革新が周辺圏域・沿岸地域から大陸内奥部に波及し、やがて大陸内部から周辺に逆に波及しはじめたという経緯に、かつての中華文明圏におけ

る「中心―周辺」の作用・反作用の力学的な往復関係構造を仮説的に想起してみようと思うのである。(4)

すなわち、これまでの資本主義近代過程を唯一の基準にしてきた「脱亜」的歴史観、言い換えれば明治維新を「脱亜入欧」の近代の始まりとする日本中心的、日本一国史的な近代史観を改め、タイプの異なる諸国の雑居的な中華文明圏の関係構造の、十六世紀以来の長期的な変態の過程として俯瞰する歴史観によって、アジアの近代を多元的・多極的に見ようというのである。

歴史は反転しはじめた

私はここで、これによっては現在の事象をうまく説明できない、またこれによっては無用な誤解も生じかねない中華文明圏という概念名称を一時棚上げして、便宜的に〈環中国圏〉という名称を使うことにする。ちなみにこの圏域は、一部の海域を除いて周囲を異世界としての周辺国に取り巻かれている点で、アメリカ圏やヨーロッパ圏と異なる。中国を地理的に中心に位置づけて具体的にいえば、北部の北アジア（ロシア、モンゴル）、東北部の東北アジア（北朝鮮、シベリア）、東部の東アジア（日本、韓国、台湾）、東南部の東南アジア（アセアン諸国）、西部の中央アジア、西南部の南アジア（インド・パキスタン・ミャンマー）一帯の圏域を指す。

この圏域では、関係諸国は中華王朝時代とは異なり、現在はすべて国家主権を平等にもち、国や人口の大小、多少にかかわらず政治関係は対等であることをタテマエとしている（そのタテマエはタテマエの形式性やイデオロギー性のため、多くの複雑な現実の局面を隠蔽しているが、今はそれには触れない）。社会文化面でいうと、欧化による共通部分はありながらも、伝統的にそれぞれに特性をもち一律ではない。思想文化面では複雑で、この圏域では、儒教、道教、キリスト教、イスラム教、ヒンドゥ教、仏教、ラマ教（チベット仏教）などが複雑に分布し、それらが中国にも及んで国境を越えた流動的な類縁関係を形成する一方、東部の旧儒教文化圏、漢字文化圏の国々は、中国との間に歴史文化上の対抗・緊張関係を現在も持っている。こういった複雑な周辺関係は、ヨーロッパ圏ではキリスト教対イスラム教の対抗があるほかは、アメリカ圏にはほとんど見られないことである。なお、この環中国圏とヨーロッパ圏の中間にはイスラム圏が存在し、このイスラム圏も周辺を異世界としての周辺国に取り巻かれ、周辺との間に複雑な緊張関係を強いられている点で環中国圏に並ぶが、ここではとくに論じない。

問題は経済関係である。現在、日本と中国の間に生起している新しい問題は経済関係から生起した問題なのである。私は経済問題の素人なのでその面での発言は控えるが、この経済問題を思想文化の問題として捉えるならば、これは、かつて中華文明圏に属したとされる諸国間の関係構造の歴史的な変貌を意味する。すなわち北アジアにおけるロシア・モンゴル、東北アジアにおけるシベリア・北朝鮮、東南アジアにおけるニーズ圏域・アセアン（ＡＳＥＡＮ）諸国、東アジアにおける日本・韓国・北朝鮮・台湾など、中国から見たそれぞれの圏域への経済的対応関係は、旧中華文明圏における同心円的な朝貢システムとは比較にならない複雑さをもつに至っている。このうち、八〇年代以降、中国の周辺にあって、中国に技術革新や工業化の刺激を与えてきた日本およびニーズ圏域のいわゆる「雁行の先進部分」は、今や中国大陸の内陸部のブラックホールに吸引せられつつある。つまり中国は「先進」的であった台湾、韓国、日本の技術や管理のノウハウを吸収しながら、一方、欧米や日本だけでなく、広く北アジア、東北アジア、西南アジア、中央アジアの隣接諸地域に産品を供出し、なおアセアン諸国とは自由貿易協定の締結によって市場をリンクし拡大しようとしている。もちろん、こういった環中国圏地域内の新しい関係はグローバルな経済関係に影響されて複雑さを増しているが、ここの話は便宜的に環中国圏の関係に焦点を絞ってのことである。

こういった状況に冒頭の中国の知識人や指導者層の、戦争問題、歴史認識問題についてのクールな対応という事例を重ね合わせるならば、旧中華文明圏とは異なったかたちでの、日本に対する中国の位相の上昇という局面に否応なく想到する。(5) にもかかわらず、まだ大半の日本人はこのことの深刻さに気づいていない。そして日本＝優者、中国＝劣者という構図から脱却していない。その無知覚こそが日本人にとっての〝中国の衝撃〟である。衝撃として自覚されないがゆえに、衝撃は日本人にとって深刻なのである。かつて、清末の〝西洋の衝撃〟が、中華＝優者、外夷＝劣者という古い構図に囚われている中国知識人に自覚されなかったときのように。政府中枢から国民一般までが無自覚であることの、またそうであるがゆえの、何重もの鈍重な衝撃。

誤解のないように言っておかねばならないが、私はここで「中国脅威論」を説こうとしているのではない。この「中国脅威論」は、一つに、問題を排他的な国民国家の枠組で捉えていること、二つに、中国を国際秩序外の特殊国家と見なすことを前提にしていること、三つに、「脅威」という発想自体が蔑視の裏返しで、もともと世界の歴史的な差別構造の産物であること――などの問題点を抱えている。私は、むしろそういった前世紀的な偏見からどう脱出するかを前提にするべきだと考えている。

中国の農村問題と日本の空洞化現象は、明らかにリンクしている問題である以上、われわれはこれを一面的な「脅威論」から脱け出して、広い歴史の視野で国際化し、また広い国際的視野で歴史化し、対立と共同という緊張関係に「知」的に対処していかなければならない。

その一つとして、繰り返しになるが、これまでの近代過程を先進・後進の図式で描いてきた西洋中心主義的な歴史観の見直しが必要である。次に、もはや旧時代の遺物と思われてきた中華文明圏としての関係構造が、実はある面では持続していたというのみならず、環中国圏という経済関係構造に再編され、周辺諸国を再び周辺化しはじめているという仮説的事実に留意すべきである。とくに明治以来、中国を経済的・軍事的に圧迫し刺激しつづけてきた周辺国・日本――私は敢えて日本を周辺国として位置づけたい――が、今世紀中、早ければ今世紀半ばまでに、これまでの経済面での如意棒の占有権を喪失しようとしており、日本人が明治以来、百数十年にわたって見てきた中国に対する優越の夢が覚めはじめていることに気づくべきである。現代はどのような歴史観で捉えたらいいのか、根底から考え直す必要がある。そして〈環中国圏〉の想定など、いくつかの仮説を立て直す必要がある。もちろんそれは何であれ、環日本海圏、環太平洋圏、アメリカ圏、EU圏など、既存とされる経済・文化圏から切り離されて想定されるのではなく、それらとの連携や摩擦、対立などを含んだ関係構造として想定されるべきであることは言うまでもないが。

日中間に特定していえば、かつて〝西洋の衝撃〟によって日本の突出した台頭をうながし、中華文明圏を舞台から退場させたと思っていた歴史が、〝中国の衝撃〟――ボディブローのように鈍角的で、知覚されにくく、図式化しにくいが、ゆったりとした強烈な衝撃――によって、反転されはじめた。われわれにとっての〝中国の衝撃〟は、優劣の歴史観からわれわれを目覚めさせ、多元的な歴史観をわれわれに必須とさせ、今後関係が深まるがゆえにかえって激化するであろう両国間の矛盾や衝突のなかに、「共同」の種を植え付けさせるものでなければならない。われわれは大国主義的な中国の出現を決して招いてはならないのである。「知の共同」――すなわち自国の問題に真に責任を負うことこそがアジアの未来、世界の未来への責任負担に通底する、と自覚した知識人の間の「共同」は、今後いっそう重要さを増すだろう。

（1）「日中・知の共同体」は、国際交流基金の援助のもと、一九九七年から二〇〇三年までの六年間にわたって続けられた、日中両国の知識人の間での知的な交流の運動である。以下、拙稿「「日中・知の共同体」の航跡」（「アジアセンターニュース」22、二〇〇二年、国際交流基金アジアセンター）の抜粋を載せさせていただく。

参加者は、それぞれが自国のあり方に批判的に悩み、責任感をもち、知識の蓄積だけに満足せずに、広く知識が負うべき社会的・歴史的な責任を自覚的に担おうと願っている知識人たちであった。そういう日本と中国の知識人が、狭い国益や自国の論理などに囚われず、感情よりは知性に頼って互いに広い視野から自国の問題を批判的に話しあう場を共同でつくった。

問題を深め共有の幅を広げるには、知について主体のあり方を深め、主体の責任を自覚する幅を広げるしかない。そうでなければ、例えば日中間の国民感情の齟齬《そご》という重い問題について語りあえるわけがない。そのためには、つねに自己のあり方に批判の目を注ぎ、自己に緊張を強いなければならない。この運動で最も意を注いだのは、「共同」を気楽な評論家同士の交歓や単なる知識の交換、あるいは個別の問題の実践運動に終わらせず、知によっていかに現実に深くコミットし、問題の深層に迫るかであった。

この運動のもう一つの特徴は、参加者のなかに中国側では『読書』、日本側では『世界』『現代思想』の編集者が加わり、運動にかかわった参加者の言説がしばしば誌上に取り上げられ、両国の読者の間に周知された、ということである。『読書』は公称十二万部といい、中国では知識界、青年学生層の間に最もよく読まれている雑誌の一つである。この運動が始まる前には、この雑誌に日本人の原稿が掲載されたり日本問題が論議の対象になることは稀であった、とくに、戦争問題について、これまで中国の知識界には日本の知識界の言論はほとんどまったく伝えられていなかった、といわれる。この運動の結果、戦争に関するわれわれの言論が小特集のかたちで『読書』に掲載され、それに反応して北京大学、社会科学院、上海の復旦大学の教授たちの論文が掲載されるなど、広い反響があった。

一方、日本の知識界の間にも、とくに天安門事件以来、中国には言論の自由がないとする思い込みがあったが、その一種の偏見が、この運動によって払拭された。そもそも中国では体制の内か外かという線引き自体が意味をなさないことも分かってきた。実際彼らは来日するごとに、日本の知識人の前に自由に問題を提起し追跡し、広い視野で解析する姿を披露し、また『世界』『現代思想』にもしばしば登場し、斬新な問題提起によって読者を魅了するなど、「自由」を観念としてだけでなく、流動的な運動態としても捉えるという理解をわれわれにもたらした。

この運動を成り立たせた両国の知の状況は、最初は必ずしも平坦ではなかった。中国の知識文化界のほとんどが欧米留学の人々で、彼らの顔はもっぱら欧米に向き、第三世界としてのアジアへの関心はともかく、地域としてのアジアへの関心はきわめて低かった。彼らにとって地域としてのアジアとは、インドを例外として、要するに周辺の小国群にすぎず、そこにはヨーロッパにある思想資源はないと思われていた。明治以来、アジアへの関心が脈々と流れてきた日本に対し、中国の知識文化界におけるアジア関心の稀薄さが、両国の知の位相のギャップとして、まず潜在した。

初回で露呈されたこういったギャップを乗り越え、以来、六年間、中国の知識人に日本にも知に根底のある良質な知識人がいるということを実感させ、また彼らに日本の思想資源の存在を知らしめ、彼らの間に日本やアジアへの関心、正確にいえば、日本やアジアを媒介にして中国自身や世界を考えるという思考回路をもたらすことができた。もちろんそれは日本側でもまったく同じで、日本の知識人の間に中国の知識界の存在を強く印象づけた。こうしてわれわれは日中双方の知識界にささやかながら架け橋を懸けることに成功し、今やそれは韓国、台湾、香港を含めた東アジア相互間に徐々に及ぼうとしている。

(2) 山室信一氏が指摘されているように、中国は十九世紀段階では易服、断髪、暦制などの欧化において日本に後れをとり、山室氏のいわゆる「類同」化現象のなかにあったが、一九四九年以降は新聞や公文書の横文字化および年号の西暦化など部分的には日本よりも欧化が徹底しさえしている。山室信一『思想課題としてのアジア』第二部第七章、参照（岩波書店、二〇〇一年）。

(3) いや中国は現在も「古風の専制」「無法律の国」ではないかと言われるだろうか。確かにそういった現象はあるが、これこそ優劣の基準ではなくタイプの差異として見られるべき問題で、ここでは触れない。ただ「専制」「無法律」が伝統的な聖人治世、儒教道徳秩序観とつながるもので、このなかには中国に伝統的な徳治主義民主観念や倫理的秩序が内包されており、これを一概にヨーロッパの歴史文脈上の「専制」「無法律」を基準にして同列に論じるのは実態を歪曲することになる、とだけ言っておこう。

(4) もっと長期的にみれば、日本の明治維新から現代までをこの往復運動の一環と見ることもできる。すなわち、日清戦争や日中戦争で日本が中国に与えた圧力を媒介にして中国が新生し、今度は新生中国が周囲に圧力を加えはじめる、など。

なお、歴史的アジアの地域像については、溝口他編『アジアから考える』2〈地域システム〉の浜下武志氏による「序」を参照（東京大学出版会、一九九三年）。

(5) 山室信一氏は、脱亜論執筆当時の福沢には中国を脅威の対象としてみる観点もあったとし、福沢の「(中国が）文明の門を進むときは、……東洋の物産は皆支那にて之を供給するが如きの有様に立至り……東洋に在て支那に及ばざる者はまた将に漸く名を失ふ」（福沢諭吉「日本は支那の為に覆はれざるを期すべし」『全集』第九巻）という一文をあげておられる。前掲書、終章、六四〇ページ。

I

I　中国と「自由」「民主」

今も続く冷戦思考

大江健三郎氏の近著『暴力に逆らって書く』(朝日新聞社)という、氏が世界各地の作家・知識人とやりとりした往復書簡集のなかに、中国の亡命作家鄭義《チョンイー》氏との往復書簡が収録されている。この書簡のやりとりは四年前(二〇〇〇年)の二月と三月の二回に分けて、ある新聞紙上で公開なされた。私はそこでのやりとりを覚えている。

ちょうどその三月に、台湾で総統選挙があり、台湾独立を標榜する民進党候補が勝利した年で、その時期、私は北京に滞在していた。台湾の選挙結果に対して北京の新聞やテレビの報道は予想外に抑制されていたし、友人達の反応も冷静だった。中台の両政府の間で表層では対立して見せていても、深層の民間では経済はもとより学術レベルでも、個人的な親密関係に深められるまでに交流が進んでいるという実例をまわりにたくさん見ていたので、北京の落ち着いた反応も素直に受け入れられた。

ところが、帰国する飛行機のなかで読んだある新聞の「どこへ行く新台湾」という囲み記事の一節が、私の心に引っかかった。

「(二つの中国というのは虚構であり)実際、二つの中国人の国家がある。一つは自由で民主的な台湾。もう一つは自由でも民主でもなく安全保障に脅威になる中華人民共和国だ」という、アメリカの共和党の下院院内幹事の発言であった。このいかにも東西冷戦時代の記事かと思われる決まり文句の言説が、私のなかに違和感を覚えさせた。そのうえに、帰国して留守中に溜まっていた新聞のなかに大江氏と鄭義氏との往復書簡を見て、私のなかの違和感は単なる「感」ではなくなったのであった。日中間において、冷戦時代のイデオロギッシュな思考枠組が、このようにおおっぴらに再生産されていていいのか、といった思いがあった。

鄭義氏の書簡は二日にわたって、それぞれ一面ぶち抜きで連載されていた。「中国では民主的憲法もなく独立した法官もいません。とりわけ深刻なのは、人民に知る権利がなく、核戦争の恐ろしさを分かっておらず、まったく恐れを抱いておらぬことなのです」「黄翔は……詩を書くために六回投獄され、手を切られ足を折られたという伝説的な詩人です。幾度か喉を締め上げられたのち、……首都を覆いつくす赤色テロも恐れず、長編詩を繁華街の大きな壁に貼りだし、勇敢にも朗読を始めたのです——それとも、祭壇上での自刎か」云々と書き綴られた書簡は、天安門事件の一九八九年から十一年が過ぎた二〇〇〇年のものである。この十一年の間の中国の変化の大きさを、鄭義氏はどうして知ろうとしないのだろうか。氏の時間は一九八九年六月四日のあの日以来停まったままなのだろうか。

鄭義氏の書簡はある部分の真実を語りながら、より多くのある部分を欠落させることで、大きな虚偽を構成している、と私には思われた。天安門事件前後のある切迫した非民主の部分を語りながら、それ以外のより多くの民主の部分を語らないことにより、全体を虚偽にしてしまっていないか。「尊敬する大江さん、……なにとぞ、悲観的な私をお許し下さい。私の祖国はいまもなお自由ではないのです」「残念なことに、閉鎖社会にいる私の多くの作家仲間は、なおも放歌高吟しているのです」という、どこの国、いつの時代にも通用する決まり文句を配しながら。

鄭義氏の書簡は、「赤色テロ」の弾圧に耐えて闘い、今は国外に亡命を余儀なくされた作家、西側の傘の下で、今も「自由」「民主」のために闘いつづける戦士、というイメージを造影することを企図して構成されている。(1)

私は、ここで出版社の企図自体を問題にする気はない。問題にしたいのは、こういった全体としての虚偽が全体としての真実性を帯びて、日本のなかに容易に広まるという日本の側の状況、である。すなわち「自由でも民主でもなく安全保障に脅威になる中華人民共和国」という認識が、日本の風土にきわめて容易に受け入れられるという、日本の知的風土を問題にしたいのである。

こういった全体としての虚偽は、つねにいくつかの部分的な真実によって構成されている。まず、台湾との比較でいえば、多党制の台湾と一党独裁制の中国、という日本人には極めて分かりやすい構図がある。実際、中国では公然と中国共産党の打倒を呼びかける文書を配布する自由はない。それは事実である。しかしその事実から、留保なしに、「(中国は)いまもなお自由ではないのです」という一般命題を引き出すことができるのか。例えば、日本の小・中・高校の校長には式典時に君が代斉唱に反対する自由は実質的にはない、というのは事実であるが、そのことに悩んだ校長が「日本はいまもなお自由ではないのです」と言ったとすれば、主観的な心情としては理解できるとして、客観的な真実を伝えたものといえるか。

同じことは中国についてもいえる。鄭義氏の述懐は、天安門事件当時のことを語るものとして真実だとしても、中国では現在、体制の隙間を縫って「民主」の空間が形成されつつあるという、そして実はその体制は隙間だらけであるという、日本人には分かりにくい中国ならではの事実に故意に目を塞ぐものである。ある分かりやすい例を挙げよう。九〇年代初頭から中国で民営の書店が林立しはじめ、彼らが出版物の流通に変化をもたらしはじめた。中国ではそれまで書籍の配本は国営の新華書店によって独占されていた。出版社は出版物の流通を国家権力に握られていた、といってよい。民間の書店は連合してこの流通ルートに割り込み、出版社から直接取り寄せはじめ、現在では出版社の出版物の流通は、新華書店ルートと民間ルートに二分され、出版物によってはほとんど民間ルートに偏っているものさえある。いわゆる「自由」度の高い出版物が民間ルートに支えられているという事実がそこにある。しかし、これを国家権力対民間勢力という分かりやすい二項対立の図式で理解すると、また真実からずれることになる。例えば国営の出版社であり書店でもある三聯書店では『読書』という雑誌を刊行しているが、ここには多くの「自由」な、また創造的な空間が形成されており、青年・学生・知識人の間に読者を広げ、発行部数も十二万部に達し、民間流通ルートの花形になっている。聞くところでは、権力側（党の文化官僚）もこの雑誌に対し、対応が一致しているわけではなく、保守派や開明派が混交しているという。いや、検閲担当の文化官僚自身が『読書』の愛読者でさえあるのかもしれない。そういう複雑な闘いに鄭義氏は、おそらく故意に目を塞いでいる。なぜなら、彼がもし誠実に事実を知ろうとするならば、彼の出国後のこれらの新しい変化は容易に知ることができるはずなのだから。北京の知識人たちは決して「閉鎖社会」に安住しながら「放歌高吟」しているのではない。

しかし、鄭義氏の言説は日本では、留保なしに真実であるかのごとく紙上に掲載され、今回は本にもなった。

一九五〇年代の亡命中国人とは、扱われ方がまったく違ったのである。一九四九年の中国革命を逃れてアメリカに渡った胡適《こせき》氏は、日本のいわゆる進歩的な知識人、あるいは左翼系知識人からは相手にされなかった。しかし、今回鄭義氏の相手になっているのは反核平和で知られる大江健三郎氏である。この違いはどこにあるのだろうか。五〇年代にも、アメリカの側から見れば、「民主」「自由」のアメリカに対し、中国は独裁、全体主義であった。そのアメリカ構図が日本のいわゆる進歩的あるいは左翼系知識人に無視されたのは、アメリカの「民主」「自由」が国際社会で額面どおりには通用していなかったからである。つまり、アメリカ主導の西の構図に対し、それと対抗する、西とは異質とされた東の構図というものがあり、その異質性によって西の「自由」「民主」が相対化されていた、なおそのうえ、東のプロレタリアの「民主」「自由」のほうが西のブルジョアの「民主」「自由」より質的に勝るという認識すらあった——からである。

その結果、胡適氏は、東側に立つ人々から、論証抜きで無視されるべき人物とされた。

それが今回は、論証抜きで中国の「民主」は否定され、あるいは無視されている。つまり、中国の「民主」は誰疑うということなく、今や絶対化されたアメリカ基準の「民主」であるべきとされている。かつてアメリカの「民主」も世界のなかで相対化されていたという時代の記憶は消え失せ、まして中国には中国の「民主」があるだろうとは中国通の知識人さえも考えなくなった。こうして人々の間に、反「民主」・反「自由」の中国政府というアプリオリの前提が共有されることになり、鄭義氏の述懐が真実として、論証抜きで受け入れられる素地となっている。

幻想から幻滅へ

このような論証抜きの前提を成り立たせているものは何か。一つ目としてそれは社会主義政権下のいわゆるプロレタリアの「自由」「民主」は実は幻想であったという、ベルリンの壁以来の見聞的事実にもとづく共同認識である。

中国に対しても幻想はあった。中国の社会主義を、ヨーロッパの資本主義近代を超えた超近代、後近代の世界と見なし、あるいは封建王朝の伝統を灰燼にして生まれたフェニックスの回生と見なす幻想。その社会主義革命が現実の歴史過程のなかで理解されるのではなく、あるヨーロッパ生まれの歴史理論に合わせて理解されていたがゆえの幻想。

しかし、その社会主義にほころびが生じるや、幻想は一気に〝社会主義幻滅〟に変わり、そのほころびは直ちに中国独自の王朝的伝統に由来するものとされた。すなわち王朝時代のさまざまなアジア的・後進的要素が革命のなかに混入し、その矛盾が文化大革命の混乱となった、と見なされた。つまりここでもほころびは実際の歴史過程のなかで検証されるのではなく、ヨーロッパ生まれの歴史理論に合わせて理解された。すなわち、中国の後進性理論である。こうして、ほかならぬ中国の知識人・学生・青年たち自身がなだれを打ってヨーロッパの「民主」に解答を求めた。そこへ突然の天安門事件であった。やっぱり中国は昔の中国だったのだ、かつて一九一九年、中国革命の起点とされていた五・四運動における「科学」と「民主」は、何と社会主義「全体」革命のために実は棚上げにされていた、中国では個人の「民主」と「自由」は「全体の利益」のために抑圧されていたのだ、われわれは革命を五・四運動から再出発させなければならない、と。こういった反省と〝幻滅〟が中国だけでなく日本の知識人の間にも広がった。

鄭義氏もおそらくその時期のそのなかの一人であろう。

ここで留意しておきたいのは、〝社会主義幻想〟と、〝社会主義幻滅〟の間に、基本軸上の断絶がない、ということである。

社会主義への〝幻想〟も、西欧の資本主義との優劣の序列のなかで生まれ、〝幻滅〟も西欧資本主義との優劣の序列のなかで生まれた。つまり、それらはすべてヨーロッパ軸を基軸として観念された世界であった。〝幻想〟から〝幻滅〟へという一八〇度の逆転も、当事者にとっては、同じ軸の上に並べられた優者と劣者の札を、上下について入れ換えるだけでよいことだった。認識の軸自体、言い換えれば認識主体である自己自身の座標を問う必要はなかったのである。

それは、幻想であれ幻滅であれ、彼らが対象としてきた〈社会主義〉が、西洋生まれの歴史理論のうえの観念的な知識でしかなく、実際の現実に即して、中国において〈社会主義〉とは何か、もっといえば、中国において〈近代とはどのようなものか〉、中国において〈中国とは何か〉の検証がなされてこなかったことを意味する。社会主義はマルクス・レーニン主義の延長上で理解され、中国の十六、七世紀以降の歴史のなかで理解されることはなかった。〈近代〉はアヘン戦争の〝西洋の衝撃〟を通じて理解され、中国の十六、七世紀以降の展開のなかで理解されることはなかった。つまり、中国を、もともとヨーロッパとは軸を異にする世界と見なす観点が極端に稀薄であった。

人々は、天安門事件以降、流行が変われば着る物も変わる、とばかりに、いっせいに「社会主義」の服を「民主」「自由」に着替えた。中国についての判断軸は「民主」「自由」となり、それは西欧の優者に対する中国の劣者という上下順列においてであった。さらに留意すべきことに、この順列軸においては、日本は西欧の下位に位置しながら、中国に対しては上位にあると観念されていた。それまで中国の社会主義の優位を唱導していたいわゆる革新的な人ほど、かえって熱心に「民主」「自由」を中国に適用させようとしている。彼らはごく自然にこう考えた、中国は「民主」の後進国である、われわれは中国の国内外の「民主」闘争を支持する、例えば亡命知識人の反政府活動、チベット族やウイグル族の、あるいは台湾の独立運動などに対して、と。

こうして、人々は「自由で民主的な台湾」と「自由でも民主でもなく安全保障に脅威になる中華人民共和国」という冷戦時代の構図のなかに、自ら進んで取り込まれていったのである。かつて現実の歴史過程に入ることなく、イデオロギーとしての〈社会主義〉に思考を預けていたと同じように観念としての〈民主・自由〉に思考を預けたまま。

このような論証抜きの思考を成り立たせる理由の二つ目として、そこには、最も必要な〈中国とは何か〉が徹頭徹尾欠落している、ということがある。

〈中国とは何か〉というのは、実は〈われわれにとって中国とは何か〉あるいは〈中国を問題にすることのわれわれにとっての意味は何か〉という自らへの問いを内包している。かつて東西関係のなかで中国を論じてきたとき、多くの人にとってこの自問は必要とはされなかった。なぜなら、〈中国とは〉は、東側、平和勢力、社会主義勢力という中味としてあらかじめ規定されており、〈われわれにとって〉それは、論証抜きで連帯すべき対象として自明視されていたから。

かつて〈中国〉は〈社会主義〉として記号化され、その記号は「より広汎なプロレタリア民主主義」「ヨーロッパ近代を超えた新しい次元の近代」を自明の内容としていた。しかし、その幻想が破れるや、一八〇度転回して、〈後進国〉として記号化され、その内容は「ヨーロッパ近代を追いかける〈民主〉途上国」となり、日本の知識人に中国の「民主」への関心を新たにさせた。

今にして省みるに、これまでは、中国の〈社会主義〉の内容は、外来の国際共産主義運動の面からのみ捉えられ、中国の歴史に沿って、中国の歴史的産物とする捉え方がほとんどなされてこなかった。

私は中国の革命を世間一般でいう社会主義革命つまりヨーロッパ生まれのマルクス・レーニン主義革命とは見なさない。中国では十六、七世紀以降、とくに顕著に、均分相続というヨーロッパや日本とはまったく異なった慣習・制度にもとづき、民間に相互扶助の社会システムが広がり、このシステム（宗族《そうぞく》制や秘密結社などの形態をとった）の形態においては、ヨーロッパや日本のような世襲的な私有財産制度は育たず、私有と共有のリンクや組み合わせ、あるいは共同的な私有が主要な形態となっており、それが中国的な「社会主義」の基底になっている（詳しくはⅡで述べる）。

私のこの見方の特徴は、視座を中国のなかに置き、長期の歴史の流れに沿って見るという点にある。この見方によれば、一九四九年から七八年までの三〇年は一種の過渡期で、「公」だけで「私」が抑圧されたというこの時期は、中国の歴史のなかで特殊である。しかし、この特殊な三〇年間に重工業建設と土地公有化が実現し、その基盤の上に七八年以来の「私」中軸の改革開放があるのだが、七八年から現在に続くこの段階こそ、経済における公有と私有のリンク、人治から法治への転換など、社会・経済・文化面での革命の進展期であり、基層にまで改革が及んでいる点で革命の深化期である。中国は、今こそ中国の社会構造に適応した「自由」や「民主」を模索し創造しようとしている、と私は見るのである。

この見方のポイントは、中国の「社会主義」を伝統的な社会システムの組み替え、つまり伝統の基層の（上にではなく）中にマルクスらの社会主義理論やソ連型の制度を導入したものと見るという点にある。かつて人々は社会主義の名に幻惑され、中国に反近代、超近代、後近代などの冠をかぶせようとしたが、それがヨーロッパ基準の「近代」であるかぎり、中国の実相に迫ることはできなかった。

実相に迫ってみれば、それはヨーロッパ近代の反でも超でも後でもない、それとは異タイプの歴史過程なのであった。そして中国の「自由」「民主」はまさにその中国の歴史過程の中に存在し、その中で成育するしかない。

中国の改革を志す人々は、その独自の歴史過程のなかで、極めて複雑な闘いを強いられている。

彼らは、人権問題でいえば、政府のいわゆる「中国独自の人権」が体制抑圧的であることを批判しつつ、しかし一方でアメリカのアメリカ型人権の中国への押し付けにも反対し、法制、法哲学、社会学、文化人類学などの新しい学問分野において共同で、彼らの観点に立って中国独自の人権を模索しようとしている。天安門事件の二年後、中国政府が人権白書を出したとき、ある若い北京大学の法学者が、嬉しそうに、「これでわれわれも「人権」という言葉を公然と使って議論ができるようになった」と語ったことが想起される。このことは、彼らが屈折した闘いを余儀なくされている状況を私に伝えるものだった。

上述の『読書』の言論空間はこれらの人によって担われ、これらの知的試行を反映している。彼らは体制と緊張した付き合いをしつつ、体制との間に新しい空間をつくり、体制に影響を及ぼしている。現在の中国を、単純に体制・反体制と二分法で処理できないのはこのような複雑な関係があるからである。

私の見方によれば、中国は、五〇—六〇年代の大躍進運動の失敗や文化大革命の迷走から脱し、現在は世界のどの国にも歴史のどの過去にもモデルを見出すことができない、真の革命を起こしつつある。すなわち中国社会主義の土台となっていた伝統的な社会システムや秩序原理の洗い直しが必要とされている。例えば、人治から法治への変革というのは、漢代以降の二千年来の伝統への挑戦である。人治がもっていた道徳的な慣習秩序や秩序観念を現代的な法秩序のなかにどのように実態に即して組み込んでいくか、これは極めて魅力的な作業である（Ⅲを参照）。

〈中国とはなにか〉というのは、われわれ日本人にとっては、結局、世界をどのような視座で見るか、ということである。それが〈中国を問題にすることの意味〉でもある。

かつて、世界は西陣営と東陣営の二分法であった。

今、われわれは二分法によってその本来の姿を歪曲されてきた、未知の世界としての、そして生の、いきいきと生きたイスラム文明世界や中華文明世界を目の当たりにしている。この歴史的な世界は、冷戦時代にはイデオロギーに組み込まれ実態が隠蔽されていた。そのイデオロギーの冷戦構造が崩壊した今、われわれははじめてそれらの世界を、赤裸々に目の当たりにしているのである。

日本人は明治以来、ずっとヨーロッパ〈近代〉という視座に依拠して中国を蔑視してきた。中国を蔑視するその度合が日本のヨーロッパ度として自覚された。日本人は、そのヨーロッパ度を、ヨーロッパと比較するのではなく、中国と比較することで計測してきた。日本アイデンティティは中国蔑視を一つの不可欠の要素としていた、とさえ言える。しかし、日本にとっての中国の有用性はそれだけであってはならないだろう。われわれは、その気にさえなれば、多くの点でヨーロッパとは歴史の文脈を異にする中国を発見し、それを媒介にしてわれわれの内部のヨーロッパ視座を相対化することができる。

あるいは、われわれの気づかないところで、われわれの思考をある特定の方向に配列させている目に見えないある力——例えば「民主」に特定の意味づけや方向づけを与えているある力——の働きを自覚させる媒介にすることもできる。

その目に見えない力とは何か。それは近三百年来、世界を覆ってきたヨーロッパの〈近代文明〉を背景にした知の差別構造である。

イデオロギーの東西対立は、ある一面、「先進」西の〈近代〉の差別や暴圧に対する「後進」東の反逆であった。世界の中心と目されたヨーロッパ近代文明に対しての、世界の辺境と見なされたユーラシア大陸文明の反抗でもあった。その反逆、反抗は、実態はあっても記号をもたない。〈近代〉という記号がヨーロッパに独占され、ユーラシア大陸文明は自らの実態を示す記号をまだ見つけていない。一時「社会主義」という記号を冠にしたが、そのイデオロギーも、少なくとも中国では、イデオロギーのゆえに、かえって歴史過程の実態を隠蔽する役割しか果たせなかった。そのイデオロギーが記号としての機能を喪失し、一方、ヨーロッパ〈近代〉自体も内部に亀裂が入り、二元的対立や二分法の構図が崩れ出すなかで、これまで隠蔽されてきた知の差別の構図が顕在化してきた。「民主」「自由」への取り込まれという現象も、要するに差別の構造への取り込まれである。そして、知の状況がこのように差別的であることが露呈しつつある現状にあって、どのようにその差別の構図と闘うかが、われわれにとっての〈中国を問題にすることとの意味〉である。

しかし、ここで問題になるのは、誰がどのように中国を問題にするのか、である。

「日中・知の共同体」の運動を続けて、気がついたことは、日本において知の世界を支えていると一般に見なされている大学や研究所で、学問領域におけるタコツボ化が異常に進んでいる、という事実である。こういう状況下では人々は自己の知の世界を限定することを美徳とするようになり、中国問題はおおむね中国研究者の領域とされ、中国研究者も、タコツボ化のなかで中国問題をさらに細分化し、そのなかに自己を限定する。例えば、現代の問題は現代の専門家に、現代の問題もさらに細分化され、現代の経済問題は中国現代経済学の専門家に、歴史認識のことは中国近現代史の研究者に、というふうに。細分化されたその専門領域では、事実が細密になり、その細密な事実から問題が捉えられ、問題自体が細分化され、細分化されることを通じて問題性を稀薄にし、代わって細密な知識が表面化する。その知識は根底が問われないため、知識が本来もつ内部の緊張を欠落させ、単に知識のための知識となる。しかも、この種の知識は、いったん出来上がると、流動している現実の状況から切り離され、一人歩きのかたちで権威化される。状況がいかに流動しようと、その状況の流動は出来上がった知に対する衝撃としては理解されず、逆に出来上がった知識の細分化されたパターンに吸収される。

こういった細分化状況や固定化状況に不満をおぼえた人々が、境界を越境して知の世界を広域化しているが、この場合にも根底の問題性は、問題となる。例えば、民主とか人権とかの問題は、それ自体が広域的であるが、自分がなぜそれを問題にするかという根底への自問がなければ、結局、知識の世界のことに終わる。つまり、現状においては、意識するとしないと、好むと好まないとにかかわらず、根底のない知は、タコツボ的であれ広域的であれ、結局は知の差別の構造に取り込まれ、かえってその抑圧と差別に荷担することになる。

中国に対する善意からの「民主」の押し付けが、いつのまにか差別への荷担となっているのである。

かつて、天安門事件のさなか前後三カ月ほど台湾の清華大学にいたことを思い出す。清華大学の教職員組合は、事件当時の台湾政府の「同胞」「反共」「民主」キャンペーンに抗し、集会を開き、大陸の民主をどう支援するかが課題ではなく、台湾の「われわれの民主」化を課題としてさらに進めることこそが結果として大陸の民主化への支援になる、という議論をしていた。私も求められて、大陸や台湾それぞれに民主の課題があるように、日本にも日本の民主の課題があり、民主の課題に先進・後進はない、という趣旨の発言をした。

当時、世界のキーワードは「民主化」であり、「民主化」が東西の冷戦構造の壁を破った、とそのときはそう思えていた。しかし、その「民主」は、台湾政府のそれがそうであったように、国際的な政治的差別用語として機能した。それに本来の機能をもたせ「民主」に内包された差別の構図を破ったのは、清華大学の教職員組合のような闘い方であった。

彼らは、そこに「民主」があるか否かではなく、ここにどのような「われわれの民主」の闘いがあるか、の観点に立ったのである。竹内好氏がかつて「自分の中に問題を持たない者は、中国へ行っても何の問題も見出せない」という趣旨のことを言った。[2] 中国にどのような「民主」の闘いがあるかを見出すのは、自分自身にとっての「民主」の課題を持つ人である。つまり「民主」は「そこ」の問題ではなく、本来的につねに自身が属する場の「ここ」の課題としてある。

その課題を担う主体があってこそ〈中国とはなにか〉の問いを背負うことができる。そのとき、その問いは、結局われわれの視座あるいはわれわれのアイデンティティのありかたへの自問となる。大江氏のいわゆる「考える言葉」としての自由・民主はその自問のなかにこそある。

(1) 興味深いことに、つい最近、このお二人はある雑誌上で対談をされた(『世界』二〇〇四年二月号)。その対談は、四年間の歳月が大江氏にはある種の変化をもたらしたのに対し、鄭義氏には変化がまったく見られないという微妙なずれを感じさせるものであった。

対談のなかで、司会者は中国、アメリカそれぞれの国で、表現の自由に対する国家や社会の暴力が続いているという問題を提起した。それに対し、大江氏は、日本には言論の自由があるものの、「考える言葉」が貧弱であれば、言論の実体は貧しいものになる、という言葉で応じた。大江氏にとって大事なのは、ただ形式上の権利としてだけの言論の自由よりも、実質的にそれを用いる能力や責任感にかかわる「本当の言葉の環境」だということである。それに対し、鄭義氏は四年前と同じように、中国の言論弾圧問題を孤立したかたちで強調するだけであった。このずれは、「ノーベル賞作家」対「亡命中国作家」というジャーナリズムに「魅力的」な企画も、今後これ以上続けられうるものかに、疑問を抱かせるものであった。

(2) 竹内好「方法としてのアジア」『日本とアジア』ちくま学芸文庫、所収。

2 現在形の歴史とどう向き合うか

断絶の歴史化に向けて

歴史において事実とは何か、は常に問題にされうる一つだが、最近いわゆる南京大虐殺の被害者の数をめぐって、人々の被害の感情記憶はどこまで「事実」でありうるかが、ある雑誌の上で議論された（孫歌「日中戦争——感情と記憶の構図」『世界』二〇〇〇年四月号）。[1]

そこでこの問題にかかわって、小さな比喩をさしはさんでみよう。——ある国が隣国の軍隊に侵略された。その国のある町に隣国の兵士が侵入し略奪が行なわれた。後に、その町の少女が、当時兵士の一人に暴行され、相手は背丈が二メートルもある大男だった、と訴え出た。隣国側はその町への侵入や略奪の行為自体は認めたが、暴行の事実は認めようとしなかった。その理由は、当時二メートルの兵士は軍隊内に存在しなかった、というものであった。

この比喩は、感情記憶と事実記録とのすれ違いを示す。少女にとって二メートルという数値は、事実の記録ではなく恐怖心の表象つまり感情記憶であった。隣国側はこの数値を事実の記録として捉え、二メートルの兵士の不存在を暴行の事実の不存在証明とした。

南京大虐殺における中国当局の「被害者三〇万人」という複雑に政治的な公表数値は、感情記憶という面だけに限っても、日中間で、このように感情記憶と事実記録のすれ違いをもたらしているだけでなく、それが置かれている文脈もすれ違っていることによって、両国の歴史認識上の断絶の表象ともなっている。

中国人にとって三〇万人というこの数値は、この問題についての中国政府の日本政府に対する政治的な対抗図を示すというだけでなく、「今に至るも」犯罪を認めようとしない（と彼らの目に映る）日本人全般に対する苛立ちの度数であり、ここでは過去の感情記憶が戦後責任の現在進行形の問題として、歴史化されようとしている。一方、ある種の日本人にとっては、この数値の曖昧さは、南京大虐殺をまぼろし化し、ひいては中国「侵略」を虚構化するための、格好の事実材料である。ここでは、感情記憶の非科学性を歴史学の科学性のなかに引きこみ、歴史の名によって記憶を合法的に抹殺し、事件全体を非歴史化しようと試みられている。

他方、被害者の数を科学的・実証的に究めることによりまぼろし派に対抗している良識派の日本人歴史研究者も存在している。彼らはまぼろし派と闘いながらその一方で三〇万を主張する中国人たちとも対立するという困難な立場に立っている。これら良識派の日本人研究者にとって心外なことに、中国人の目からは、三〇万という数字に否定的であるという点で、良識派もまぼろし派と同じに見られる、ということである。

ここには歴史にとって「事実」とは何か、あるいは歴史研究にとって科学性とは何かという重い問題が伏在しているが、これについては別の機会にゆずる。(2) ここでは感情記憶はどのように「事実」でありうるかという面のみから問題を捉えてみる。
問題は科学的・客観的とされる事実記録と恣意的・主観的とされる感情記憶との間に橋を架けることが可能なのか、という点にある（付「歴史叙述の意図と客観性」参照）。

この二つの間の乖離を克服する道はいったいあるのか？　あるとすればどのような道筋なのか？　幸いこれには孫歌氏（中国社会科学院）が前掲論文ですでに示唆を与えてくれている。すなわち「感情の記憶」に「複雑な歴史の内容を担わ」せること、である。

再びさきの比喩に戻っていえば、二メートルという数値を事実問題とするのではなく、二メートルという感情記憶が現在形であるという事実を、歴史化する、ということである。

敢えて挑発的な言い方をすれば、ここには二つの歴史学の態度がある。一つは静止の歴史学、もう一つは流動の歴史学、である。

静止の歴史学においては、形として残された何らかの史料のみが歴史史料であって、その史料的事実と絡んで動きつつある現実、たとえば感情記憶などは史料から排除される。数値にかかわることが科学的な態度であると思いなされ、数値は実証的に客観化されることにより静止化される。すなわち事件は過去化され、現在から振り返られるものとして固定化される。

流動の歴史学においては、感情記憶の現存が、歴史の現在形として受けとめられる。南京大虐殺という歴史事件の複雑さは、過去の歴史事実だけにあるのではなく、感情記憶が「今に至るも」現存しているその構造の重層性にある、と自覚される。そして、この感情記憶と歴史事実の二重奏をどのように歴史化するか、が南京大虐殺事件を歴史化することでもあると自覚される。

この幾回かの論議のなかに、論議を成立させていた目に見えない共通の構図が存在していた。それは、東史郎氏の裁判(3)が日本ではほとんど知られていないのに対し、中国では大きな注目を集めているという、両国間のギャップの巨大さである。

東氏が特別に中国で注目を集めているのは、お決まりの中国政府主導のキャンペーンによる、というのがこの事実を知った日本人の大方の解釈であろう。こういった、政府のキャンペーンとそれに唱和する中国民衆、といった通念的な解釈自体にすでに両国間のギャップが露呈しているのだが、このことには今は触れない。問題は、なぜ特別に東氏が、という疑問の裏側にある、なぜ東氏以外の他の日本人による謝罪の声が中国の民衆に届いていないのか、という疑問にある。

実際は、「日本人」は大戦後、戦争責任の問題について真面目に議論をしてきた。中国に謝罪する必要がない、あるいはすでに十分に贖罪したと考える人もいる反面、もっときちんと謝罪すべきだと考える人も当然多くいる。ところが謝罪すべきだと考えている人々の声が、ほとんど中国の民衆のなかに届いていない。「なぜ日本人の多くの謝罪の声が中国の民衆に届いていないのか」、東ブームはその「なぜ」と「中国の民衆」の存在をわれわれに気づかせた。

日中両国の民衆の間にあるこの断絶、それを断絶として、民衆はもちろん中国研究者や知識人らも自覚し問題化してこなかったということの断絶までを含めた深刻な断絶に、われわれはどう対処したらよいか。

孫歌氏によれば、「南京大虐殺」は中国人の日本の政府や右翼に対する怒りの「象徴」であると同時に、「(民衆感情に即していうならば)戦後五〇年以上に及ぶ中国人と日本人の感情の傷という面における、修復しようのない溝をも象徴している」。南京大虐殺を歴史化するということは、この日中間の現在形の「修復しようのない」ほどの断絶を歴史化することでもある。

何をどう謝罪するのか

毎年八月十五日の、日本での終戦・敗戦記念日、中国での抗戦勝利記念日を前に放映されるそれぞれの国のテレビ画像は、中国では抗日戦争であり、そこに登場するのは悪辣非道な日本軍将校とそれと英雄的に戦う農民あるいは解放軍兵士である。一方、日本では、東京大空襲であり広島であり沖縄であり硫黄島である。日本人の感情記憶のなかに中国侵略体験はほとんど刻印されていない。あるとすれば、東氏ら実際に中国に「出征」した元軍人、兵士においてであるが、彼らの大多数はすでに八十歳以上で老齢化し、また多くは戦争の記憶を自己の内部に閉じこめて語ろうとしない。

中国では、「南京大虐殺」の感情記憶は、戦前世代に原体験として生きているだけでなく、戦後世代の間でも祖父母・父母の世代からの伝聞、毎年更新されるテレビ画像での戦争場面、あるいは学校教育などを通じて、再生産されている。

日本でそれに当たるのは象徴的には〝広島〟であり、未だかつて〝南京〟であったことはない。両国の民衆の間に浸透した戦争の感情記憶は、同じ対象に向き合っていないのだ。中国の留学生が広島の原爆資料館を訪れた際、「日本人の屍体の写真だけでなく、南京の中国人の屍体の写真も横に展示すべきだ」と叫んだというのは、この両者の記憶の、彼らにとっては不条理な齟齬《そご》に向けられたものであった。

問題は、この中国人にとっては不条理と思われる齟齬が、日本人の間では、深刻なこととしては自覚されていないか、気づかれてもほとんど問題化されない、ということである。

一つには、加害の記憶よりも被害の記憶のほうが残りやすいという心理的なメカニズムが働いているのかもしれない。また一つには、何よりも本土を覆った一九四五年の大空襲の国民的体験は、海上封鎖による物資不足、農作物の生産低下による食料不足などと相俟って、国民全体を極限状況における同一体験の共有者に仕立てたが、その未曽有の共有体験が、強い印象として刻印されたせいかもしれない。

しかし、この日中間の記憶の齟齬は、おそらく単に体験記憶だけに由来するのではなく、実は記憶装置としての目に見えないある機能が働いている。例えば記憶を活字や画面の上に再生しつづけるメディアの作用もあるだろう。例えば毎年八月六日と九日に広島と長崎でそれぞれに行なわれる原爆投下日の記念行事と、それに引き続いて行なわれる八月十五日の敗戦記念日のセレモニーは、意図的にか結果的にか、人々の戦争体験の記憶をもっぱら太平洋戦争へと誘導している。人々の記憶は日中戦争よりも太平洋戦争のほうに比重がかかっていくのである。だが、それだけではあるまい。

私は、そのようにメディアに記憶を誘導させるもう一つの目に見えない装置として、国民のなかに暗黙に共有されている歴史認識およびそれを誘導する力があると思う。

例えば、中国についていうと、中国人の戦争記憶が抗日戦争に集中しているのは、中国の近現代史が帝国主義の侵略とそれに対する抵抗、一九三〇―四〇年代は共産党を中軸とする抗日戦争、という構図であることにもとづく。抗日戦争の教育は共産党政権の権威を高めることでもあるという面からいえば、民衆の戦争記憶における「トラウマの強化」は権力の望むところである。実際、中国の戦争記憶は、中国近現代史の「抵抗の近代」および「共産党主導の抗日勝利」に大筋に沿うものであり、感情記憶はその方向につねに誘導され、そのルートに沿って再生産されている。

一方、日本の場合、国民の戦争記憶がアメリカ軍から受けた空襲体験に大きく傾いているのは、大筋から見て、明治以後のいわゆる「脱亜入欧」路線と基本的に暗合する。つまりその歴史認識の筋道においては、日本は欧米と対抗し欧米と戦い、欧米とりわけアメリカに敗れたのであり、アジアに敗れたわけではない、というものである。この文脈からは、容易に、〝広島〟を欧米への新たな挑戦の出発点に位置づけることも可能であろう。あるいは、敗戦から立ち上がった不屈の精神、国民的な困苦と健闘の象徴にもなしうるだろう。それらを誘導するのは、近現代についての歴史認識であろう。

両国の戦争記憶が〝南京〟と〝広島〟に分裂しているという断絶的な状況の背景には、おそらくそれぞれの歴史認識の文脈の違いが作用している。

日本の近代史は、日本の近代過程を帝国主義的近代と見なすにせよ、文明開化的近代とするにせよ、アジア諸国に対して経済的・軍事的・制度的に優位に立った近代とする点で共通している。これを「入欧の近代」というとすれば、それは「抵抗の近代」とは、歴史意識の位相を一見異にするが、西洋「近代」軸を共通にする点で同一であり、少なくとも日本人の歴史価値意識においては、その同一軸上において「入欧」が優位と見なされる。

両国の戦争記憶の外側には、欧米の近代を軸とした、そしてそれに依拠すれば優劣の価値意識を伴うことにもなる歴史意識が、見えないかたちで存在し、その意識あるいはその意識への反発の感情が、戦争記憶に浸透している。

日本人が中国人に自国の侵略を謝罪して、日本資本主義の発展が日清戦争から始まることを反省してみせたとき、それは「資本主義化の成功」という優位性を、その本人には不本意であるにせよ、暗黙の前提にしており、謝罪自体が「謝罪の傲慢さ」という構図のなかにある。この「謝罪の傲慢さ」は、中国人が日本の近代化を成功として肯定的に評価すれば、論理的に日本の侵略を容認することになる、というジレンマに陥ることと表裏する。

戦争記憶がこのような歴史認識に浸透されているとすれば、われわれはいったい戦争について何をどこまで謝罪するのか？　単に残虐行為についてなのか、大陸への出兵それ自体か、あるいは明治以後の近代の総過程までを謝罪するのか？　しかし、いったいある国の歴史の総過程がそのまま別の国に対する罪業となるということがありうるのか？

ドイツでは戦争責任はナチスの侵略行為と残虐行為に絞られているのに対し、日本ではしばしば近代史自体が裁きの対象にされるのは、どうしたわけか？　日本の侵略の戦争行為と日本近代の過程とが不可分一体視されるのはなぜか？

ここには東アジアにおける近代観の複雑な交錯がある。つまり、ここでは、近代の早晩・先後がその民族の歴史や文化の優劣を示す指標とされていた歴史があった。そしてその歴史認識上の記憶が現在形で生きているのである。

われわれの間を隔てる「修復しようのない溝」は、一つには東アジアにおける歴史認識上の不平等な差別の溝でもある。中国人は意識するとしないとにかかわらず、日本人の残虐行為を告発することを通じて、中国人のプライドとしてとうてい承服できない日本人の近代優越意識の傲慢さに苛立ちの抗議をしているのだ。しかも、彼らは、自身が西欧基準の近代史観に立つかぎり、日本近代の優位性を認めざるをえないというジレンマに一層苛立つのである。抗議の相手の姿が明確でなく、その抗議の矢がいつのまにかブーメランのように自分をめがけて帰ってくることにますます苛立ちながら。

自由主義史観に立つ人々が、「侵略」を否定しようとするその究極の狙いは、「自虐」に対して、日本近代の優越性を歴史認識のうえで確立することにあるであろう。ここで注意しておきたいのは、それに反対する立場の人々の「侵略」史観が、「優者の侵略」対「劣者の抵抗」および「劣者の勝利」対「優者の謝罪」という優劣の構図を出ていない点で反対者と同軌であること、そして中国人の「抵抗の近代」の構図もこれと同軌であるため、おそらく中国人によってこの構図上の謝罪では釈然としないものが残りつづけるであろう、ということである。

われわれが中国への謝罪という行為を通じて解消したいと思うのは、まさにこの東アジアの歴史認識上の優劣構図およびそれの鬼子としての反「自虐」意識にほかならない。

私は、かねてから、欧米の圧力を受けない十六、七世紀を日中両国の近代過程の出発点とし、両国の近代の構造の骨組みは〝西洋の衝撃〟以前に形成されていた、とする近代史観を主張しているが、今はここではこれには触れない（Ⅱに後述）。ただ、ここでは、従来の「西洋」基準の近代史観では、日中間に真の意味の歴史の共有、つまり優劣ではなくパターンの差異にもとづいた歴史検討は行なえないと言っておきたい。

戦争の感情記憶の歴史化の問題は、近代史の総枠の検討を必須とし、かつそれは日中両国で共同して行なわれることが期待されるのである。

カプセルの中の「民主」

なぜ、われわれの謝罪の声が中国に届いていないのか、という問いは、なぜわれわれは、日中間に横たわっている多くの齟齬、深い溝や断絶などに気づかなかったのか、という問いに、そして、その問いはさらに、その溝や断絶が今なお現在形でどのように存在しているか、それはどのように克服できるか、に置きかえられるべきであろう。

振り返って思うに、われわれは戦後、中国の知識人とそれぞれの国が課題として抱えている問題を、知のレベルで話しあう機会をもったことがない。目に見えないさまざまな障害があった。その知の不通状態が、齟齬や断絶の所在を見えないものにしていた。

例えば、知はしばしば専門知に安住し、交流はその枠内に限られ、知が根づいているはずのその現場の問題に及ぶことはなかった。わたしの専門とする儒学でいえば、朱子学なら朱子学をテーマにする国際会議で、なぜ今、中国であるいは日本で朱子学が問題になるのか、これまでそれはどのような思想文脈のなかでどのように問題にされてきたか、という研究の根底のところは論議されたことがない。

一つには、これは知が現実から遊離して、知の世界が完結している、という状況を示す。これらの人々にとって、現実は、自分の知のカプセルの窓から眺められた光景である。現実は、カプセルの窓を通して受け入れられ、カプセル内の自分の知の世界の論理で解釈され、甚だしきは、それによって価値づけられ、統御されようとさえする。しかも、これらの人々にとっての自分の知の世界は、往々にして、自国の知の文脈のなかで形成された、つまり自国の世界が相対化されないまま無自覚に自分であるという、他者不在の知の世界なのである。

かつてそれは、社会主義中国に憧憬する知であった。一九五〇年代の毛沢東革命に触発されて中国の近現代研究に携わったわれわれの多くにとって、中国の社会主義という現実は、基本的に窓の外の光景であった。当時、「日中連帯」の知は冷戦構造のなかで、東陣営に属する知であり、現実はその知によって受け入れられ、解釈され、価値づけられていた。〝南京〟をはじめ日中間の問題は、その知によっておおむね統御されていた。

やがてベルリンの壁の倒壊の後、一九八九年、日本人の目にとって社会主義がマイナス・イメージに転じつつあった中国で、天安門事件が起こった。このとき、中国の民主派の人々の多くは、中国革命の出発点と見なされていた一九一九年の五・四運動に立ち返り、当時のスローガンであった「民主」と「科学」を再び標榜した。かつての社会主義への憧憬に裏切られた人々、あるいは「民主」と「科学」に普遍的な価値を認めている人々は、かえって几帳面に、しかし依然としてカプセルの窓を通して、中国の「民主」と「科学」を検証しようとした。

対象の像は変わり、視線も変わり、価値意識も変わったが、しかし現実が窓の外の光景であるという、最も基本的な骨組みに変化はないのである。

そのため、「民主」なり「科学」なりが、五・四運動期の歴史記録でありつつ、同時に一九八九年時点の記憶として、また二〇〇〇年代の現在に至るまでの「民主」の課題として、現在形に生きている歴史現状、およびそれが記憶という装置のなかで醸成されることによる、歴史の重層性や動態性への洞察が忽略にされることになった。

この間に、現実は大きく流動変化した。台湾では民進党の総統が「中国は一つ」とする前提を拒否している。かつて窓の外の光景が社会主義であったとき、明明白白のこととして、「中国は一つ」であった。今では台湾の民主と中国の民主は単純に「一つ」ではない。現実の流動のなかで、民主が多様化し、カプセルの中の「民主」はその現実遊離の硬直性のゆえに、ときには差別語化さえしている。

こういうときに、北京の中央電視台（テレビ局）は『実話実説』という番組を制作した。孫歌氏によれば、この番組は、「中国市民の多様な感覚を表面化させ、そのような多様性が合法的な地位を獲得できる空間の提供」を図ることをねらいとして、日中戦争の「戦争の記憶」と題する討論を、東氏や日本人留学生などを交えて行なおうとした。内容の成否は今ここでは論じない。重要なことは、中央電視台の制作者たちにとって、この番組の制作自体が、彼らにとっての「自分達の民主」の闘いだった、ということだ。〝南京〟が、中国のなかでそのような「民主」の闘いの文脈のなかで論じられる、ということの歴史的な意義を、とくに知らねばならない。つまりこれこそが流動する現在形の〝南京〟の歴史の重層の断面なのだ。ちなみに中国でわれわれが対話の相手として当面した相手は、決して窓枠に嵌めこまれた光景としての「民主派」人士ではない。例えば海外に亡命した人士で、受難の記憶のまま時間が停まり、流動変化する現実から遊離したことで、かえって「民主」の象徴として他国の「民主派」人士から重宝がられる、そういう分かりやすい人々ではない。

もし私達が、中国を窓の外の光景として、「民主」があるかないか、という観察者の目で眺めていたら、彼らとの「共同」の場を発見することはできなかった。それが発見できたというのは、われわれの日本の現実における民主の日常的な闘いのなかにあるその現実感覚が、中国の現実にある民主の日常的な闘いのなかにある彼らの現実感覚と共鳴しあった、のである。

ここで私は、主に窓から外の現実を眺めている人々に訴えたいのだが、歴史研究というのは、流動する現実のなかからその目的が生まれるものであり、研究自体に目的があるのではない。つまり、窓のこちらの部屋のなかに研究の基礎があるのではなく、窓の外の現実のなかに動機があるのである。たとえその目的が、「民主」の目的（例えばいわゆる「良心的な」研究）であっても、その目的が現実と通底していなければ、そのカプセル内の「民主」は民主の現実の闘いに触れることはできないのである。

今この〝南京〟に当面しての、両国間の断絶を埋めるか、それを放置しあるいは増大させるかの分岐は、部屋の外に出て現実のなかに参入したとき、はじめて直面できることなのであり、そのとき、その人は自者と他者の葛藤を知るのである。

歴史の磁場

〃南京〃をめぐる日中間の歴史認識、近代認識の齟齬を指摘することは、知識の世界としてのことに止まれば、解くべき問題として難しいことではない。だが、それが感情の世界を含めたことであるとすると、上澄みを掬ってよしとするようなわけにはいかない。感情の持ち主自身が、自分でも気づかない、ある無意識の歴史意識といった世界に踏み込む必要があるのかもしれない。

例えば、中国人の「謝罪しない日本人」への抗議感情あるいは嫌日感情には、中華大国と島国「小日本」という、かつて中華文明圏として地域的・文化的に、ある閉ざされた空間を共有しあっていた時期の構図の、記憶以前の記憶が、刷り込まれているのかもしれない。一方、日本の反中国、嫌中感情にも、意識されない「近代の優越」のほかに、上と同じ構図の残影として、中国の「大国」意識への反発、「小日本」の意地、また、日本のなかのかつてのイデオロギッシュな、あるいはこれまでの中国憧憬的・一辺倒的な親中国派への批判や反発などが、ないまぜに含まれているのかもしれない。

石原東京都知事がかつてドイツの雑誌のインタビューに答えて、南京大虐殺は事実ではない、中国は脅威であり、「巨大帝国である中国がいくつかの小国に分裂」するのが望ましいと語ったと伝えられるその発言に対しても、そのようなさまざまな、記憶以前の感情の葛藤が露呈した歴史の現在の磁場のなかのこととして受けとめるべきであろう。

私は、石原氏を批判するよりは、氏の思考や感情を嫌中国・反中国の方向に向かわせているものが何であるか、を知りたい。私は自分を傍観的な観察者にしようというのではない。ここには、現在という歴史を歴史家としてどう生きるか、という問題が潜在している。過去であれ現在であれ、歴史家が自己の思考と対立的な人物に出会ったときに、その人物にどう向かい合うか？　歴史の叙述のなかで、歴史家の筆の特権を借りて、その人物を心ゆくまで批判的に描くのだろうか？　しかしそれは歴史叙述ではない。歴史叙述であるためには、歴史家が物語るのではなく、歴史自身が物語るものでなければならない。現代の日本のなかで一つの潮流をなしている反中国、嫌中感情、あるいは中国への優位感情、そしてそれと表裏をなす日本ナショナリズムの由来を、日本の歴史の一つの無視できない文脈として読者に開示することである。ただし、それを日本内的な世界に閉じ込めず、それと相容れないアジアの、あるいは世界のさまざまな民族主義的・排他的な流れとの葛藤のなかに置くことによって、その文脈の日本的な特殊性を相対化することである。そして読者に、その日本的な文脈が過去および現在形の〝南京〟にいかに深くかかわっているかを俯瞰的に示すべきであろう。それが私のいわゆる南京大虐殺を「歴史化する」ということである。

私は日本のなかに確かに現存する反中国あるいは嫌中国的な感情を、反や嫌を理由に疎んじようなどとは思わない。問題にすべき相手は、実はその感情ではなく、その感情を形成してきた歴史の磁場だろうと予感するからである。感情記憶が、過去から現在までの幾層にも積み重なり、また幾条かの流れにもなっている、複雑に絡み合った歴史の現在形であるとするならば、その絡み合いを生みだす歴史の磁場に直面しないかぎり、日中間の問題の解決はない。

〝南京〞は過去の歴史記録としてあるだけではなく、歴史記憶として現在に再生産されつづける。現在目前の現実から生まれる歴史記憶を通して、その過去の記録は歴史となる。われわれは現在の歴史に自覚的に生きることを通して過去を歴史にすることができる。

日中間の「知の共同」は、そのような自覚された知によってはじめて共同が可能になるであろう。なぜならそれはあまりに複雑な現実と歴史への取り組みであるから。そして、それは両国の自覚的な知識人が共同することなしには前途が切り開かれない未知の世界でもある。しかし、この難問は、われわれに知の創造に向かう感動さえ与えてくれるだろう。

（1）後に孫歌『アジアを語ることのジレンマ』所収、岩波書店、二〇〇二年。

中国政府が南京大虐殺の被害者数として公表した三〇万という数の「事実」性をめぐって、日本では議論がつづいている。歴史修正主義者たちはそれは中国人特有の誇張であるとし、その非事実性を根拠にそもそも「大虐殺」自体の存在も怪しいとして、事実の「まぼろし」化を図り、また一方、良心的な歴史研究者たちも事実をより正確にするために実証的な数字を探究するという立場から、この三〇万という数字に疑問を投げかけている。孫歌氏はこの三〇万という数字を「感情記憶」という次元で捉え、「文献資料の考証に満足して、人々の感情記憶を完全に無視したり、果てには敵視したりする……このような歴史学の絶対的な合法性」に疑問を投げかけ、歴史学における実証性の問題として提起した。以下はそれを踏まえての議論である。

（2）この「事実」と「科学性」の問題については、孫歌氏との対談のなかで触れた（「歴史に入る方法——知の共同空間を求めて」、孫歌前掲書所収）。以下、その一部を載せる。

「**溝口**　……私達が去年の「知の共同」のシンポジウムで問題とした南京虐殺の三〇万人という被害者の数の問

題を事例としてとりあげます。まず、実証的な面から言えば、日本ではこの三〇万という数字の正確度には疑問があり、政治的な数字とみなされています。ですから、日本でこの三〇万という数を掲げれば、右からも左からも批判されるでしょう、特に「新しい教科書をつくる会」はこの数字の根拠の薄弱さを突いて、虐殺事件そのものをまぼろし化しようとしています。ですから日本の国内では、良心的な歴史家達は実証的により正確な数字を求めることによって南京事件の実在を証明しようと努力しています。問題は、日本の国内でそういう努力をしているのはいいのですが、彼らが正確とみなす数字によって中国の三〇万という数字を非公然的に批判し、中国人との間に隠然と対立が生じている、ということです。これはなかなか難しい問題です」「……南京事件というのは、一九三七年という過去のある時点で何人殺されたかという問題と同時に、それから六十数年を経た現在、この二〇〇一年という時点で、なお三〇万という数字をめぐって日中間に対立があるという、そういう形で現在形の歴史事件となっている、という捉え方をしなければならない。その現在形の南京事件という歴史事件に日本の知識人としてどう責任を負うか、という問題は過去の死者数を正確に確定していくという作業と矛盾しない。……ここには歴史学における客観性とは何なのかという問題があります。この問題は正確に解釈することは非常に難しい、なぜなら、われわれは日ごろ〝主観／客観〟という二元対立の思惟方式に慣れてしまっているため、このような方式によっては歴史の感覚自体に接近することが非常に困難になっているからです。客観実証に関連して発生した混乱は、この思惟方式に関係があります」「……客観実証を学問体系のすべてであるかのように考えている歴史家がいるとすれば、それは実は歴史家ではなく歴史記録家と呼ぶべきでしょう。ですから南京事件の被害者の数字の正確さだけを取り出してそれを科学性として絶対化し、三〇万という数字の歴史性を科学や歴史学の名において無視しあるいは否定するというのは、科学の独善というほかありません。「事実」は歴史の中で意味を付加されて存在します。裏返して言えば、意味が付加されない事実は歴史にとっての「事実」にはならないし、一方また感情記憶といえどもある文脈の中で意味が付加されれば、その意味において「事実」となるのです。南京事件で言えば、日本では正確な被害者数を出すということは、その数字によって虐殺の実態を明らかにし、それによってまぼろし派と闘うというところに意味があります。中国の三〇万という数字は中国人の憤激という意味をもった数字で、これは彼らの憤激の度合いを示すという意味で正確な数字です。そしてその憤激の度合いは三〇万という数字として厳然と現在に存在する客観的な「事実」なのです。もしこのような事実の存在を見て取る能力がなければ、南京大虐殺という歴史事件についての研究は成就しない。……こう見てくれば歴史学における事実とか客観実証とか科学性というものがいかに複雑かが分かると思います。つまり、それらは常に状況の制約の中にあり、決して無制約に普遍化されるものではないのです。ついでに言えば、このことは、客観的な正確な数字といえども、「客観実証」「事実」だからといって無条件に国境を越えることはできない、ということをわれわれに教えてくれます。何故ならそれはその国の意味を付与されてはじめて「事実」になるのであり、それはその国の文脈の中に限定されたかたちで存在しているからです」。

(3) 東史郎氏は、元日本兵として一九八七年、戦時中の日記を公表し、日本では、日記の細部記載の真偽、とくに南京大虐殺についての証言をめぐって、激しい攻撃に曝された。青木書店から日記の一部が出版されて以来、その記述のなかで触れられている元上官の虐殺行為は虚構だという理由で、一九九三年と九八年の二回にわたって裁判が起こされ、二回とも東氏は敗訴。この敗訴は、中国社会の抗議、中国政府の批判を巻き起こした。その一方、東氏は、訴訟を応援する日本人グループの人々とともに、何回にもわたって中国を訪れ、南京市民に謝罪すると同時に、中国の市民の良知にも訴え、歴史の真実を追究する勇気を表明し、中国の広範な市民の間に「東現象」ともいうべきある種のブームを起こした。この事件に関して、詳しくは山内小夜子「〝南京裁判〟をめぐる内外の危険な動き」『世界』一九九九年四月号、中北竜太郎他「『東裁判』の真実を訴える」同、一九九九年十月号を参照。

付　日中間の齟齬を齟齬として

上下の歯が噛み合わないことを齟齬というが、日中両国の間の齟齬も決して小さくない。日中戦争について、「日本はなぜ謝罪しないか」「中国はいつまで謝罪を求めつづけるのか」というかけ違いもその最たるものの一つだ。

旧聞に属するが中国の朱鎔基首相（当時）が来日した折（二〇〇〇年十月）、ある民間放送のテレビ番組に出演して、「日本はいつまで中国に謝罪しつづけなければならないのか」という聴衆の一人の問いに対して、自分は謝罪を求めに来たのではない、とことわりながら、しかし、日本は村山首相のときに概括的にアジアの人々に謝罪したが、公式文書としては中国に一度も謝罪していない、ただし謝罪するか否かは日本の問題だ、と答えた。この公式には日本は謝罪していないという答えに対し日本側は、官房長官が記者会見の場で、「（村山）首相談話は閣議決定をした政府の正式の立場」を表わし、「中国も念頭に置いた」ものであるから、「さらに文書にすることは考えていない」（「朝日新聞」十月十七日）と応じた。

この村山首相談話というのは、戦後五〇年の一九九五年八月十五日、閣議決定にもとづいて、記者会見の席で発表された。その謝罪の部分は「わが国は、……国策を誤り、……植民地支配と侵略によって、多くの国々、とりわけアジア諸国の人々に対して多大の損害と苦痛を与えました。私は……ここにあらためて痛切な反省の意を表し、心からのお詫びの気持を表明いたします」というものである。この日、各紙たとえば朝日新聞の夕刊は第一面のトップに「侵略、心からおわび」という横組の大見出しをつけ、さらに「国策誤りアジア支配」「不戦の決意と哀悼」などの縦見出しを並べ、全ページを戦争関連の記事で埋め、第二面に村山談話の全文を掲載した。おそらくこの紙面に接した日本の善意の読者たちは第一面大見出しの印象をそのまま自分たちの心情とし、首相の謝罪を支持し、日本国民を代表したその謝罪がアジア各国へ届くことを願った。

しかし、朱鎔基氏の側に立って考えてみれば、これは閣議決定とはいえ、記者会見の席での発言であって、直接相手国に政府ルートで公式に伝達されたものではない、また漠然とアジアを対象にしていて、そのなかでも被害の大きかった、われわれ中国人民に直接向けられたものではない。譬えていうならば、町内（アジア）であちこちの家（国）に損害を与えたある家が、自分の家の中で記者達に「町内の皆様に損害を与えて申し訳ない」と「概括的」に、言い換えれば十把ひとからげに詫びた、というようなもので、その内容が親族会議（閣議）の決定によるから「公式」だというのは、身内の解釈であって外部には通らない。公式というのは方法や形式の問題で、詫びるほうが、記者会見などではなく、被害を受けた家を一軒ごとに訪問して、文書など形に残るもので直接相手に謝罪することだ——というのが（一般市民の代弁者としての）中国当局の言い分ということになろう。

図書館で当時の「人民日報」を調べてみると、はたして村山談話は、翌十六日の国際欄の下のほうに余り大きくない記者招待会の談話記事として「向亜州各国人民道歉（アジア諸国人民へ詫び）」の見出しで、談話の全文が掲載されてはいるが、閣議決定云々への言及はない。しかも談話の「お詫び」はここでは「道歉（ダオチエン）」と訳されている。道歉というのは詫びをすることだが、人の足を踏んでも約束の時間に遅れても「道歉」で、中国語では、他人に損傷や損害を与えたときにする「謝罪」の語に比べればニュアンスははるかに軽い。

そのうえ、この談話記事のすぐ右横には、同じ日に行なわれた日本の閣僚九人の靖国神社参拝記事がほぼ同じスペースをとり、さらにそれに並んで横断幕を持って閣僚参拝に反対する人々の写真が掲載されていて、紙面の印象では靖国記事のほうが目立つ（因みに日本では、例えば「朝日」の当日の夕刊では、この参拝記事は、第一面の村山談話から切り離され、最終ページの社会面に小さく報道されただけであった）。要するに「人民日報」の扱いでは、村山談話は日本国政府の公式謝罪どころか、アジア各国から批判の多い閣僚の靖国参拝によって相殺された、効果半減の、しかも「謝罪」ではなく「申し訳ない」程度の、首相の個人談話にすぎない。

因みにこの談話に先立って、村山首相がメジャー英国首相にあてた英文の親書には「apology（謝罪）」の語が使われたという（「朝日新聞」一九九五年八月十五日）。なぜ日本政府は中国首相にも、「謝罪」の語を用いた中国文の親書を送らなかったのだろうか。

問題はそれだけではない。そもそも、政府系新聞として日本に特派員を送り、この記事を報道した「人民日報」自体が、中国では他の人気のある新聞とは違って、私の理解によれば、せいぜい職場で、それも政府の政策の風向きを察知するために見出しだけがざっと読まれているにすぎない。つまり、人民日報の村山談話は中国の国民には真面目に読まれておらず、まして肉声として届いてはいない。多数の民衆に直接届く媒体はテレビだが、人民日報の取り上げ方から察して、その日のテレビニュースもおそらく短い簡単なものだったろう。

ここで私は真珠湾沖の「えひめ丸」沈没事件のときのアメリカ側の対応を想起せずにいられない。えひめ丸の遭難について、アメリカは大統領の談話と同時に、日本に特使を送って、日本の総理と国民および遺族に直接謝罪し、また後には事故の責任者である潜水艦の艦長も遺族に対し個人的に涙を浮かべて謝罪し、それらの場面が、そのつどテレビの画面を通じて茶の間に届けられた。大方の日本人は、えひめ丸の被害者の感情を通して、アメリカの謝罪を受け入れた。

もし、えひめ丸について、アメリカがはるか遠いワシントンでの大統領の記者会見の談話だけですませ、それが日本の新聞の国際欄の片隅に、しかも「真珠湾を忘れるな」という政府高官の演説記事と並んで報じられていたら、はたして日本の国民感情のなかに謝罪の意が届いたか、と思わずにいられない。

謝罪をめぐっての問題は、政治とともにより多くは文化伝統の問題でもある。えひめ丸の被害者の家族は、司法取引という日本人には卑怯者としか思われない手段を弄して謝罪を回避する艦長に「男らしく出て来て謝れ」と苛立ち、それは多くの日本人の気持ちでもあったが、もし艦長がついに遺族に謝罪しなかったならば、また特使が遺族に直接謝罪しなかったならば、日本の文化はアメリカ大統領の謝罪談話を謝罪としては受け入れなかっただろう。すばやく特使を送ったアメリカは、謝罪についての日本の文化伝統をよく研究していたというべきである。

それとの対比でいえば、村山首相の「心からのお詫び」は中国の国民感情のなかにはまったく届いていなかった、のだ。

日本の文化風土のなかでは、朝日新聞の「侵略、心からお詫び」の大見出しの紙面は、十分に謝罪の表明である。「心から」という以上、それは全霊を傾けている、と日本の善意の人々は感じたのだ。日本政府は謝罪した、と読者の誰しもがそう思った。この記憶からすれば、「いつまで謝り続けるのか」の苛立ちは、日本国内では十分に根拠がある。だがそんな日本の国内事情は外国である中国の知るところではなく、まして文化伝統の違う中国の人々に通じるはずもない。よく考えてみると、この謝罪は日本の内向きのことであった。国内の保守派が侵略や戦争責任を極力否定し被害国への謝罪を拒否しているなか、村山首相はよくここまで踏み込んだ「お詫び」をした、という意外性が、おそらく新聞の大見出しにこめられている。首相のアジア諸国へのお詫びは、日本では十分に国内のビッグニュースなのだ。そのため、詫びる対象が、概括的なアジア各国か一国ごとの国か、お詫びか謝罪か、談話か公式文書か、など相手側の受けとめ方までは、私を含めほとんどの人が考え及ばなかった。そもそも謝罪という行為は相手の許しがあって、はじめて行為として完成するものだ、というのに。(1)

　この二つの国の間での齟齬は十二分に深刻なのだが、さらに深刻なのは、こういった齟齬が両国の国民の間でほとんど認識されていない、ということである。「「謝った」「謝っていない」と繰り返すだけでは不毛だ。政府同士、国民同士で地道に対話を重ねていくことが、結局、……相互の理解への近道になるのではないか」とは天声人語氏である（「朝日新聞」二〇〇〇年十月十八日）。問題は対話を重ねるという以前に、まずその対話を成立させるためにどうしたらよいか、現在両国の間に気の遠くなるような幾層もの断層が存在していることにどう気づくか、両国がそれぞれ自国内の文脈のなかでしか問題を見ていない現在、どのようにそれぞれが相手の文脈の存在を知るか、であろう。

今、われわれが断層による齟齬に気づきはじめたこのことを、新世紀の日中関係の第一歩の踏み出し、ということにしたい。

(1) 最近、馬立誠『日本はもう中国に謝罪しなくていい』(文芸春秋社、二〇〇四年)が刊行された。日韓中三国の経済提携を国家戦略とする政府筋の立場から書かれたもので、中国の一般民衆の対日感情を量るアドバルーンとして発表された、という観測もある。中国国内の文脈では単なるアドバルーンとしても、日本の文脈のなかではまったく別の作用を及ぼす。われわれはここで改めて謝罪問題がもつ「われわれ日本人にとっての意味」の問い直しに迫られる。

因みにこの本のなかで、馬氏は日本が謝罪した実例二十一例をあげている。その内訳は、首相や天皇が会見や会談の際に口頭で行なった事例が十四例、同じくテーブルスピーチのなかが三例、講演のなかが一例、記者会見時が一例、および一九七二年の田中角栄首相と周恩来首相の署名による共同声明と、それを追認した小渕恵三首相と江沢民主席署名の共同宣言(一九九八年)の二例である。馬氏はこの共同声明、共同宣言の二例を公式の謝罪と見なしている。

3　歴史認識問題はどう問題なのか

かけ違った文脈

ここで問題とする歴史認識とは、日本の植民地・侵略戦争責任の歴史的認識という限定された意味であり、その含意の内容において日韓中三国でこれを問題にする人々も同じであるが、問題が置かれている文脈は必ずしも同じでない。

国ごとの文脈という角度から見ると、まず日本では、批判的知識人の目から見れば、この問題は、安保問題、憲法問題、天皇制問題など、国家としてのあり方を決める重要な問題に直結した、いわば日本の将来の方向を決める問題で、それは単に日本問題というだけでなく、日本が属する東アジアの近隣関係をはじめとする国際関係の問題でもあると見なされており、そのため日本の知識人の負うべき課題の一つと自覚されている。またそれと対極の日本主義者、保守主義者やいわゆる歴史修正主義者たちも、反対の立場から、同じく自分たちが背負うべき任務と考えて活動している。この日本の分裂状態に対して、韓国の文脈では、この日韓あるいは東アジアの歴史認識問題は、ほとんどすべての知識人にとって、自己のナショナル・アイデンティティにかかわる問題として、中核的な位相を占めているように思われる。

だが、中国でこれはどれほどの比重を占めた問題なのか。ちなみに第五年度の「日中・知の共同体」会議（二〇〇一年一月）で中国側（中国の「文脈」のなかで思考している人たち、の意味）から、いわゆる三農（農民・農村・農業）問題が提起され、それが実はグローバルな、地球上の貧富の格差、人口過剰、経済難民の諸問題、アジアの近代化の問題、日中間の経済協力問題、世界の経済圏の対抗関係の問題など、どれ一つとして疎かにできない世界大の問題であることを知った。中国側は、中国の国内問題を問題化することを通して、つまり自分たちの文脈を通して、世界を問題化したのであった。この中国の文脈に入って考えたとき、われわれが日本の文脈のなかで提起する歴史認識問題が、中国の知識人にとってどのような位置づけの問題になるか、改めて考えさせられた。

もともと謝罪問題は、中国の文脈においては基本的に政治問題であって、日本軍の大陸侵略に抵抗し、解放をかちとったという自明視された現代史をもつ中国にとっては、この謝罪問題が今さら歴史認識問題になりようがない、と考えられている。問題になるとすれば、日本人が侵略の歴史を認めるか否かが謝罪するか否かにかかっている、と彼らが考えたときであるが、しかしそれはあくまで日本人の歴史認識問題としてであって、無媒介に相互の歴史認識問題になるわけではない。このような事情のため、仮に日本人と中国人の歴史研究者の間で歴史認識問題が共同討議され、会議が成功したとしても、それは実は往々、一方が他方の文脈に入ったときのことであるか、あるいは双方が文脈の存在には無自覚に、そこからは切れた場で、ただ問題だけを共同討議した場合のことになろう。であれば、その共同研究は「認識の共同」であっても、認識の所在する「文脈の共同」

にはなっていない。両者が真に「認識の共同」を繋げるためには、「文脈の共同」が前提となっていなければならない。

ここで「文脈の共同」とは、ある国や民族の文脈に足を置いたある文化主体と、別のある国や民族の文脈に足を置いた別のある文化主体との間で、摩擦や衝突をくぐりながら、あるいは摩擦と衝突を止揚して新しい空間が共有され、両者にとって「共同」の対話空間が成立するということである。歴史認識の問題についていえば、日本でこの問題について国民的なコンセンサスが得られていないという複雑な国内の文脈そのものが、中国の知識人にとって「知」的関心の対象にならねばならない。例えば、中国では戦争体験が日中戦争だけであるのに、日本では日中戦争のほかに大東亜戦争、太平洋戦争、第二次世界大戦とそれぞれ性格規定を微妙に異にした（白人からの植民地解放、アジア侵略、帝国主義戦争、反ファシズム戦争など）いくつかの戦争が同時に体験された、このため、ある思考回路からすれば当然のことながら、勝者による敗者の裁判という一面をもつ東京裁判に不満がくすぶり、「なぜ（イギリス、アメリカの植民地支配を免罪して）日本だけが裁かれるのか」などの発言が飛び出したりする。また中国では戦争のシンボルが〝南京大虐殺〟であるのに日本では〝ヒロシマ〟であり、中国の国民意識では日本は加害者なのに日本人の国民意識では加害者よりはむしろ被害者でもあり、中国で八月十五日は抗日勝利の記念日なのに日本ではアメリカへの降伏の記念日であるなど――こういった双方の文脈のかけ違いそれ自体が、「アジアの知」の対象として双方に共同認識されねばならない。「文脈の共同」とはそういう共同であり、「日中・知の共同」のめざすところもそこにあった。

歴史認識問題を「知」の対象とするには、まず自分が置かれている「文脈」を知る必要がある。

「奮闘と被害」と加害

ここで私は、ある「戦争記憶の場」を想起する。ある日曜日の朝、故郷のある公園で、私は片足が義肢の老人に突然いたわりの声をかけられた。聞けば、その老人はサイパン島[1]で「玉砕」した戦友を弔うために毎日曜の早朝二時間近くも歩いて、護国神社[2]に参拝を続けているという。その老人が声をかけてきたのは、私がそのとき車椅子に乗せていたパーキンソン病の弟と付き添いの九十歳を過ぎた老母への同情であったのか、とにかくいきなりそれを共通語とするかのように、「自分はサイパン島の生き残りだ」と、声をかけてきたのである。「生き残り」という言い方は、その老人にとって、おそらく全滅した被害体験がその後の人生のアイデンティティをなしていたであろうことをうかがわせた。また「サイパン島」という言葉が老人にとって共通語と見なされたのは、後にその島から出撃したアメリカ空軍の大規模な日本本土空爆による国民的な被害記憶の共有があると見なされたからであろう。その記憶のなかの「痛苦の共有」者として、彼は、足の不自由な病弟や付き添いのよぼよぼの老母に対して、何かメッセージを発したかったのだろう。例えば、痛苦のなかの奮励のメッセージ。路傍の人である彼が、われわれ家族に対して突然見せたこの唐突な優しさは、彼の戦中戦後の体験実感の質を暗示している。おそらくこの彼の護国神社へのこだわりとわれわれに見せた優しさのなかに、彼における全滅戦の歴史体験の意味、つまり彼における戦争体験の屈折した真実が蔵されている。

こういった一つ一つの戦争中の感情記憶の集積が、日本の歴史認識の流動をもたらしている「場」である。ここで共有されている感情は、日本人がアメリカの圧倒的な軍事力と戦いそして敗れた、という「奮闘と被害」のアンビヴァレントな感情であり、奮闘＝「玉砕」、被害＝ヒロシマと両極化するけれども、その間に断絶はなく、奮闘から被害まで、国民感情としてひと繋がりの「場」になっている。ここで留意しておきたいことは、「奮闘」は被害の意識や感情から出てくるもので、加害の意識や感情からはストレートには出てこないということである。このことは戦争美化の温床がどこにあるかを暗示するだろう。

歴史認識を生み出している「場」というのは、意図を鮮明にしたイデオロギーの場や過去のすでに評価の定まった歴史の場ではなく、このように平凡な、しかし生きた感情が流動する現在の日常生活の場である。戦後の左翼が反核や反戦平和の運動を広げていったのもこのような「場」からであった。一方、日本主義者や保守政治家あるいは歴史修正主義者たちも、こういう流動する生活感情やそれが時として見せる共感作用を、巧みに吸い上げ、自分たちのイデオロギーを組み上げた。

戦争の記憶が苦しみや悲惨さとしてあると同時にそこをくぐり抜けて頑張ってきたとする奮起の思いと繋がったとき、それは反戦平和と紙一重の差で戦争美化に向かう。小泉首相の、戦後の繁栄があるのは戦死者のお蔭、というメッセージも、小林よしのり氏が「公のために死ねるか」と叫ぶのも、このようなきわどい「場」に発している。

ところが奇異なことに、この場には加害の記憶、例えば中国侵略の記憶は真正面からは入ってこない。中国侵略の「加害の記憶」は中国大陸に出兵した兵士やその家族たちの間で密かに共有されているが、多くの国民にとってその加害記憶は実体験を伴わない、伝聞知識でしかない。いや、その伝聞そのものが被害の記憶に圧倒的に偏り、加害の伝聞はほとんど無いに等しい。だから中国人にとって腹立たしいことに、大多数の日本人の加害と謝罪の意識は、上記の奮闘と被害の感情の深さや広がりに達していない。国民感情の共有の場は、圧倒的に日米戦争の記憶の場であり、それが日本の「戦争記憶の場」であり、それは徹頭徹尾「被害記憶の場」である。

日本におけるこの「被害記憶の場」と「加害記憶の場」はどのように連続し、またどのように不連続であるか。

一つ確かにいえることは、西尾幹二氏の『国民の歴史』(産経新聞ニュースサービス、一九九九年)がもっぱら「被害記憶の場」に依拠して、欧米との「孤独」な戦いという日本近代史のストーリーを創作しているのに対し、それに反対する歴史家がもっぱら依拠しているのは日中戦争などの「加害記憶の場」であって、この対立が「場」を異にした対立であるため、論争を成立させる前提を満たしていない、ということである。そもそもこの二つの「場」のありようは、被害と加害の単純な二項対立には回収されない。ここには欧米崇拝、それと裏腹の反欧米あるいは欧米対抗、そしてアジア蔑視という明治以来の国民感情的な構図が見え隠れしている。このことは、歴史認識問題が単に日本の「加害／被害」の事実の探求に終始するだけならば、歴史の真の深部には入れないことを暗示する。

われわれは、歴史認識問題の錯綜や分裂を生み出すこの二つの「場」の落差のありように対してこそ、歴史的な洞察を加える必要がある。(3)

ちなみに中国におけるいわゆる東史郎現象(4)は、この落差のギャップから噴出した中国民衆の怒りと苛立ちである。

ただ、この落差を問題にするとき、一方で日本の良心的知識人の活動を正しく評価することを忘れてはならない。日本のなかでの少数派である彼らは、「加害者として謝罪すべき日本人」という自覚をこの国のなかに広めるため困難な戦いを闘ってきた。だが、そのことを最終的に評価できるのは、残念ながら、われわれ自身ではなく、被害国の国民である。「知の共同体」がこの六年間に模索してきた一つの状況は、そこの複雑なところにあった。少なくとも中国社会ないし知識界についていえば、日本の良心的知識人の活動は、少数のケースを除けば、中国の知識人たち自身の関心にストレートには繋がらなかった。日本知識人の問題の立て方あるいは論争の論点などが、日本の文脈に緊密であればあるほど、残念ながら外部からの目には内向きなものに見えた。例えば東史郎氏に対する日本国内での日本知識人の複雑な対応がその一例である。もちろん両国間の齟齬については、中国知識界の側にもそれなりの責任や原因があるであろうが、われわれにとっての問題は、やはり、われわれ日本人が相手に繋がらないままの、このような片面的な「良心的活動」に満足していていいのか、というところにあるであろう。

実際、日本人は自身では明確には自覚していないが、日本ではメディアが反戦であれ厭戦であれ、およそ戦争に反対する番組や特集記事を組むときには、九〇%以上が戦争の被害者の立場からのもので、稀に加害の状景が示されるとしても、残虐シーンはほとんどないと言ってよい。戦地に出て加害行為を働いた現在八十歳以上の老人たちはほとんどが沈黙し、メディアによって紹介される戦争特集は、目に見えない検閲でもあるかのように、被害のシーンや記事がほとんどである。これは日本人の「被害記憶の場」の、最も韓国人や中国人を苛立たせるところである。一体、それは日本人における「内向きの自己」[5]の閉鎖性から来るのか、いやそういう情念レベルの理由からではなく、あくまで歴史認識上の偏向あるいは歴史観の歪みから来るのか、あるいは日中戦争、大東亜戦争、太平洋戦争、第二次世界大戦という微妙に性格の違う四つの戦争を同時に戦った、そこに露呈している戦争の複雑さ、あるいはそれの基層としてある東アジアの近代過程の複雑さに起因するのか。この「被害記憶の場」と「加害記憶の場」の連続・不連続関係の、われわれ日本人にとってさえ不分明なところを、どのようにアジアの知識人に呈示し、問題化することができるか。歴史修正主義者たちがもっぱら「被害」と「奮闘」だけを足場にして偏向した歴史認識・歴史観を広めようとしているとき、日本人の歴史認識の錯綜と分裂を生み出しているこの被害と加害の二つの「場」の関係と存在様態とをどう歴史的に解明するかが、もう一つの歴史認識問題として問われている。

歴史学本来の責任

論点を明らかにするために、われわれはあらかじめ、ある前提を確かめておかねばならない。それは歴史家は歴史にどうかかわるものか、という問題である。

例えば歴史家は日中戦争の歴史にどうかかわるか、具体的にいえば、中国の無辜《むこ》の民衆に加えた侵略加害行為にどう責任を負うか、である。

一般的にいって、戦争中のある残虐行為に責任を負うというとき、その行為を起こした加害者の追及、被害者への謝罪・補償・再発防止などの責任行為は、すべて当事者および関連者（高橋哲哉氏のいわゆる「国民である人々」）によって政治的に、すなわち国家や政府の責任として国家や政府に果たさせるべきことである。(6) だからその限りではその責務は「国民」すべてに負われるべき政治責任で、歴史家に限られることではない。

しかし、現実には例えば南京大虐殺を例にとれば、歴史修正主義者たちが、歴史の事実関係（例えば被虐殺者の人数）についての認識の相違という土俵をつくり、責任問題を歴史認識の問題にすり替え、政治的な責任の回避に利用している。実際のところ歴史修正主義者らは巧妙に二つの戦線を使い分けている。一つは、政治目的を隠して歴史事実の問題として事実を操作し、「認識」についての論争を起こし、うまくいけば事実を曖昧にし、悪くても「論未定」として棚上げにする。もう一つは政治的なイデオロギーを歴史観、歴史認識の問題にすり替え、「人類の歴史に戦争と民衆の被害はつきもの」「なぜ日本だけが責められるのか」などの言説で戦争責任を回避する。

そのため、多くの良識ある歴史研究者たちは進んでこの闘いに参加し、植民地・戦争責任の問題を歴史研究者が「記録の責任」者あるいは「記憶の責任」者として負うようになった。しかも、歴史修正主義者が「事実を記録するときの信憑性」を口実に、政治問題を歴史認識の問題にすり替え、あたかも歴史認識問題が中核の問題のように見なされることになった現状では、すり替えられた問題にメスを入れ、そのからくりを暴露することは歴史研究者のもう一つの責任となるであろう。記録の責任、事実への探究などは、すべてこのメス入れの前提のもとで、はじめて「政治的意義」をもつことになる。逆に、もし「事実」を正しく叙述することで、彼らの政治的意図を崩すことができると幻想するならば、つまり歴史修正主義者の「すり替え陰謀」を見逃して、ただ具体的な考証だけによって対抗しようとするならば、それは彼らの罠にはまるというものであろう。

歴史研究の構築が「客観事実」を材料にして行なわれることは、学術的原則として誰もが否定できないであろう。厄介なことは歴史修正主義者もこの原則の信奉者の顔をして歴史物語を語っていることである。つまり、彼らは自分なりの政治的な構築に従って材料を選び、組み立て、物語化している。彼らにとっては、もともと歴史研究の原則などは、単に政治的目的を実現するための道具にすぎない。その彼らを批判するために、良心的な歴史研究者たちも同じように、歴史事実――たといそれが客観的に慎密に検証された事実であるとしても――を彼らへの批判のための枠組に嵌め込むべきであろうか。そのような対抗は、政治闘争なのか、それとも学問的な戦いなのか。

残念ながらそれは学問的な戦いとはいえないだろう。歴史修正主義者が学問的な原則を標榜しながら実際には没学問的であるということもあるが、それと同時に、彼らに対抗する良心派の側も、歴史学本来の層次から見たとき、問題なしとしないからである。

私は、例えば日本の侵略性を明らかにするための研究自体を批判しようとしているのではない。ただ、日本の侵略性を明らかにしようとする歴史研究は、それが目的化したときには、否応なく抽象化された政治目的に従属した研究になる、ということを言おうとしている。その場合には、政治自体の流動性とか、政治的主体が対象や状況に応じて下す応変の決断などはむなしく看過され、状況がいかに変化しようとも前提や結論は不動というドグマのような「擬似政治」観念が生まれる。

私は、単純に歴史研究には政治目的が含入してはならないとか、政治から中立的かつ純粋にアカデミックでなければならない、と言おうとしているのではない。ただ、そのときの「政治」が、抽象化されて動かない形骸的観念であってはならないと言っている。「活きている歴史」があると同じように、「活きている政治」もあるだろう。私は学問のなかに政治目的が含入したとき、学問の創造的目的から見て、それをどのレベルなり範囲に位置づけまたは限定するかを、歴史家自身が自覚していなければならない、と思う。言葉を換えていえば、歴史家が歴史家として負うべき政治責任というのは、ドグマのような既定的なものではなく、歴史学の原理と矛盾しない「活きている政治学の原理」でなければならない。

そもそもわれわれの前には、活きた政治を含みつつ、政治よりもはるかに広大な歴史自体に対して負う、歴史学本来の責任というものが厳然とある。

歴史学についてのハーバート・ノーマンのイメージを借りていえば、歴史は「すべての糸があらゆる他の糸と何かの意味で結びついている、つぎ目のない織物」である。ノーマンによれば「歴史は決して一直線でも、単純な因果の方程式でも、正の邪に対する勝利でも、暗から光への必然の進歩でもなかった[7]」。

私のイメージでは、それが「つぎ目のない織物」であるがため、歴史に入るときには素手で入らねばならない、ということだ。ある明らかにしたい事跡を探査するという目的のためとか、あるいはある理論枠組に沿って歴史のなかに入るという、つまり「物語の数だけ歴史がある」といわれるような人手によって造られた歴史ではなく、一本の糸から糸目に沿ってひたすら「つぎ目のない」歴史のなかに入っていくのである。その方法の場合、事実は選び取るものではなく、事実のほうから糸が紡がれるように現われ出るのであり、それは歴史家に組み立てられるのではなく地中から遺跡が現われるように向こうから像を現わすものである。その織物はイデオロギーや価値観、理論、目的による勝手な裁断を許さない。裁断すれば繋がりを失い、裁片だけでなく全体さえ変形してしまう（付「歴史叙述の意図と客観性」参照）。

「場」についていえば、それは、場の上で何が行なわれ、それにどう対処するかという事象の歴史学ではなく、場そのものを透視し歴史化し、吟味する歴史学である。それこそ、歴史学と政治学が流動する接点であり、歴史学が政治性を含む根拠でもある。歴史学が政治の目的に含まれるというだけでなく、逆にその政治を含みこみ、政治を歴史化するそういう歴史学、また政治が高次な理念として生きつづけるならば、その理念を自己の内部に溶解して無辺の世界を開いていく、そういう歴史学。私のいわゆる歴史家が責任を負うべき本来の歴史学とはそのような歴史学である。

「被害記憶の場」についていうと、隣国を植民地支配し、あるいは侵略戦争を起こしながら、国民の感情記憶はもっぱら被害者感情として蓄積され、その土壌の上に責任を回避しようとするイデオロギーが不断に産出される、そういう日本という「場」は、そもそもどのような歴史の糸目をもち、いつからどのように続き、どのような柄をもった織物か。その考察が歴史家本来の責任である。

冒頭に例をあげた南京大虐殺事件とのかかわりでいうと、事件の記憶や記録について歴史家として政治的な責任を負うというだけでなく、南京大虐殺事件が被害者数をめぐって日中間で相互に感情的な齟齬・反感を投げかけあっている現状自体を、二十一世紀の南京問題として歴史化する、つまり問題が存在する場そのものを歴史的に洞察すること、またさらには、日本人はどのような歴史の文脈によって、大陸侵略を容認する、あるいは積極的に肯定する思想を形成してきたか、少なくとも十六世紀末頃から眺望する必要がある。例えば、「他邦ヲ経略スルノ法ハ弱クシテ取易キ処ヨリ始ルヲ道トス。今ニ当テ、世界万国ノ中ニ於テ皇国ヨリシテ攻取易キ土地ハ、支那国ノ満州ヨリ取易キハ無シ（他の国家を支配するには攻略しやすい国から始めるのがよい。現時点で皇国日本の立場から見て、世界万国のなかで最も攻略しやすいのは支那国の満州である）」云々という幕末の経世思想家、佐藤信淵（一七六九―一八五〇）の言説(8)は日本近世のどういう文脈から流れてきていると見るか、日中戦争につながる歴史の糸をどの時代からどのように見出すか、中国が日本の侵略を受けたその時期は、中国にとってどのような歴史的特質をもった時期であったか、それらの糸と糸の結び目を明かすことこそが歴史家の歴史責任である。

誤解のないように言っておくが、私は「自虐」の歴史の始まりを幕末からでなく十六世紀まで遡らせよと言おうとしているのではない。日本で封建領地制が成立したというこの時期における世界史的な変動のなかで、東アジアの近代過程の絡みあった（目に見える経済・政治・文化などの交流だけではなく、目には見えない無関係な関係のなかの絡みあい）関係構造を、つまり東アジアを繋ぐ目に見えない糸のつながりをトレースしよう、つまり歴史を抽象化された政治の枠から開放し、歴史に歴史本来の任務を担わせよう、というのである。

それは、そのまま「被害記憶の場」と「加害記憶の場」の存在様態それ自体を他者化して歴史認識の共通の対象にすることである。その作業が軌道に乗るようなら、おそらくそれは、連鎖的に「韓国の場」「中国の場」への検討を抽《ひ》き出す契機になるであろう。そのときにこそ「文脈の共同」

はその可能性を見せ、歴史認識問題は本来の「歴史」の認識の問題になるといえる。

外から・内向き

最後に、歴史認識問題が置かれている歴史の現在の「文脈」に触れておきたい。

二十一世紀に入り、冷戦構図はすでに大きく破綻した。中国との間で東アジアに歴史上経験したことのない経済上の新しい関係構造が出現しつつあるが、日本人のほとんどがこの地すべり的な歴史の地下変動の意味するところに関心を向けていない。

歴史の目で見れば、現在は東アジア三国にとって未知の関係構造、未知の世界の開幕であり、おそらく価値観自体の変動をともなう激動期であるが、欧米追随に慣れきった既成の観念や思考枠組のほうが現実の変化のスピードに追いつけていないのである。

「新しい歴史教科書をつくる会」が発足したのは一九九六年のことだが、それは中国の経済の上昇が顕著になった時期に暗合している。おそらくこの歴史修正主義の動きは、八〇年代、韓国製品がヨーロッパ市場で日本製品に取って代わりはじめた時期に胎動しはじめたのであろう。

このことは、われわれに、いわゆる歴史認識問題における「場」の位相の問題を考えさせずにはいない。

歴史認識問題というのは、本来は戦後日本の戦争責任の問題であったのが、一九八〇年代に歴史認識問題に転化し、とくに中曽根内閣成立以降、韓国をはじめとするアジア・ニーズ圏域、九〇年以降の中国の台頭という新しい状況のなかで、日本に現われた右翼的かつ排他的なナショナリズム

の蠢動をめぐる問題として出現した。(9)

この日本における現象は、グローバリゼーションの波に対抗するナショナルなものの反動として一般化されるかもしれない。しかしこれを日中間の関係のなかで見てみれば、中国が将来、少なくとも半世紀後には日本とともに東アジアの巨大な経済圏としてアメリカ圏やEU諸国圏との間に三極構造の一極を占めると予測される現在、これまでの戦後の半世紀、もっぱらアメリカに追随して経済を支えてきた日本のなかで、今後に展望が開けない人々の一種の焦燥感の産物、つまり世界の主潮流から外れた局地的な一種の逆流現象であるとも考えられる。

端的にいえば、『国民の歴史』のアジア蔑視史観は、誕生自体がアナクロニズムであり、歴史の流れに追いつかず後方に取り残された淀みのようなものだ。

もちろん、日本の歴史修正主義は、高橋哲哉氏が指摘されるように、ドイツの歴史修正主義の論法に酷似すること、(10)あるいは最近のフランスの極右の台頭に見られる人種主義など、国際的なつながりがないわけではない。しかし今後の東アジアにおける中国や韓国の存在位相そのものが、日本の歴史認識問題すなわち謝罪などの責任問題の論議を局地化し淀み化するであろうことは大いに見通せることである。つまり「後方に取り残された淀み」は『国民の歴史』どころか日本丸全体だった、ということになるのだ。その場合、とくに中国の存在位相の如何とのかかわりにこの問題の特性が顕示されるであろう。なぜなら半世紀後の中国に対しては、周辺国による人種主義的差別や前世紀の蔑視はもはや現実的な基盤をもたなくなるのであるから。

われわれ「日本人」は、歴史認識問題を、先述のように日本の今後のあり方を決める重要な国内課題あるいは日本にとっての国際的課題として真摯に対応せざるをえないが、しかし、一方では、歴史認識を生みだす「日本の場」の、世界のなかで、あるいは今後一世紀内の東アジアのなかで置かれるであろう位相が、局地的な、あるいは時代錯誤的なものであろうことを自覚する必要がある。韓国国会の「日本歴史教科書歪曲是正特別委員会」の満場一致の決議案、「日本国民は、被害国との和解なしには永遠に戦犯国であり続けるという事実を直視すべきだ」(二〇〇一年七月)はそのことへの最も手厳しい予告である。

残念なことに、この隣国の警告を受け入れる切実な座標感覚が、日本では、国民の間で欠如している。日本における、欧米追随と裏腹の、アジア軽視、日本優位という構図の無意識的・無自覚的な感情は、すでに一世紀有半にわたり、積弊というにふさわしく、麻酔薬のように全身に行きわたって、アジアの現実への認識力をいびつにし、また阻害している。

私が危惧するのは、上記の韓国の決議のような要請がある間はまだしも、中国の場合のように相手政府からの謝罪の要請さえもなくなったときのことだ。最近の新聞報道によれば、日本の対中国圏(香港、台湾を含む)輸出額は二〇〇三年度にはアメリカ向け輸出額を抜いたという(11)。中国政府の経済優先政策が当分続くものと想定すると、彼らはその間、靖国問題も歴史認識問題も外交上の重要案件とはしないだろうと予測される。もし日本政府がそれを中国の経済政策上の弱みと見なし、それを衝いたつもりで首相の靖国参拝を強行しているとしたら、多分それは筋を外した大きな錯誤ということになるであろう。彼らが経済策を重視しているのは、ひたすらに自国の富強のためであり、三〇年後か半世紀後に彼らの経済力が目論見どおり向上すれば、アジアにおける中国の位相は現在とは比較にならぬほど上昇しているであろう。その間、中国政府が靖国問題を黙認しつづけたとしても、中国人の間で彼らから見ての日本の没道義性への憤懣や軽侮が消えたというわけではない。中国政府がわれわれに謝罪を求めず、日本首相の靖国参拝を黙認するのは、日本がそれだけ文化的・道徳的に低く扱わされているからだ、とわれわれは考えねばならなくなる。そのように文化的・道徳的には低く扱われ、しかも現在の日本人の唯一の誇りである経済上の優位性さえ失ったとしたら、日本という国はいったいアジアのどういう場に自己を置くことになるだろうか。われわれは子孫に「道義を知らない国の民」という巨額の負債を残していってていいのか。

現在、靖国問題の先に、これからの日本に想定できる成り行きの一つは、東京裁判の否定による戦犯の免罪であろう。

確かに、東京裁判には、『昭和史』（岩波新書、一九五五年）にも「この裁判は……むしろ帝国主義的勝利者が軍事的威力を誇示する場となっていた」（二二五―二二六ページ）とあるように、明らかに帝国主義国勝者による帝国主義国敗者の裁判という一面があった。また、インドのパール判事からその意見書で「当然のことのように西欧文明に基準をおいて、諸民族の価値を判断する」[12]と抗議されるような、文明観上の重大な差別構造も潜在していた。そのため、日本のある人々はこの裁判の不徹底さ不条理さを批判し、日本の戦争責任のさらなる追及を主張する一方、ある人々は同じ根拠で、しかし方向は正反対にA級戦犯らの戦争責任の免責を図っている。

免責を企図する側の主な理由が、勝者による敗者の裁き、西洋による東洋の裁き、外国人による自国民の裁きといった「外」への反発にあることは間違いない。戦犯を自国民の手で裁かなかったというわれわれの負債を逆手にとったこの反「外」の論理は、容易に、その「内」側に、A級戦犯らを自国の「罪責」を背負って自国民のために処刑された殉国の士と見なす、という閉じた論理を生みだす。小泉首相が靖国参拝を敢えて続ける論理はおそらくこのようなものであろう。「なぜ日本だけが」は、問題が「外」からもたらされたことに便乗した議論で、「外」からの圧力が強いほど「内」に閉じようとする力も強くなる。

他方では、日本の革新派は、靖国問題や戦犯問題、教科書問題などで、これまでどちらかといえば「外」からの要請に依拠し、あるいは「外」に呼応して戦争責任や歴史認識の問題を処理してきた。

とすれば、中国が靖国問題を黙認するようになることは、日本の文脈のなかでの靖国問題、歴史認識問題にとって、かつて中国がある日突然、日米安保を承認したときのように、文脈そのものの崩壊をもたらすことになるであろう。「内」側の論理や感情だけに依存した首相の靖国参拝は、そのときアジアの一隅での、アジアの誰からも省みられない滑稽な一人芝居になるかもしれない。

しかしわれわれは、首相一人ならともかく、日本丸全体をアジアの道化役とするわけにはいかない。

この状況に際して、おそらく現在求められているのは、歴史認識問題の文脈自体の脱構築であるだろう。

具体的にいえば、歴史認識問題における政治意図と歴史認識の癒着を切り離して、二つの側面を別々に議論する。例えば政治的側面では「日本だけ」のことでなく、欧米諸国のアジア侵略、アジアの植民地化も裁かれるべきだ、という原理問題として、また歴史認識の側面では、なぜ「日本だけ」がアジアのなかで欧米諸国の尻馬に乗って同じ侵略行為を冒すことができたのか、という問題として。前者が徹底されれば、沖縄の米軍基地化、フランス・アメリカのベトナム干渉戦争などは犯罪として裁かれるべきことになり、後者を徹底すれば、日本の近代化とアジア諸国の近代化の(タイプの違いの)問題として、言い換えれば歴史学本来のテーマとして検討されることになるだろう。

日本人にとっての歴史認識問題は、これまで述べてきたように、基本的に政治責任問題であり、政府の公式謝罪(一片の声明や挨拶、談話ではなく、相手国民が感情的に納得できる形での、たとえばアメリカが「えひめ丸」事件で見せた茶の間のテレビを通じた個人感情のこもった謝罪)が歴史認識問題とは切り離されて、早急に実行されるべきだが、同時に歴史学本来の位相で、歴史認識問題の展望も新たに開かなければならない。そのためには、何よりも認識問題を生み出している「内」「外」一貫の場そのものへの歴史的な検討がなされ、この問題が発生する根源のところに踏み込まなければならない。そしてさらに流動し激変しつつある現在の歴史の流れのなかにその「場」を置いて、「場」の歴史的な位相をつねに確かめ、また歴史の流れそのものへの洞察を加え、世界やアジア、とりわけ東アジアの歴史を、「つぎ目のない織物」として見通す作業を急がなければならない。

(1) 南太平洋のマリアナ群島のなかの島。一九四四年六月、米軍の上陸により日本軍守備隊三万人が全滅。民間人、住民一万人も全員死亡。同年十一月、ここを基地とした米軍長距離爆撃機による日本本土の爆撃開始。

(2) それまではすべて招魂社と呼ばれていたのを、一八七九(明治十二)年、東京招魂社だけを靖国神社として別格とし、一九三九(昭和十四)年、地方の一五〇社の招魂社を護国神社と改称した。護国神社には靖国神社のような政治的な話題性はないが、地方の戦争犠牲者の慰霊の場所として民間日常の生活感情のなかで定着しており、戦争責任問題を考えるとき、靖国神社と並んで問題にされてよい。

(3) 「日本の三百万の死者」と「アジアの二千万人の死者」を哀悼する場合の「われわれ日本人」の主体はどう立ち上げるべきかをめぐって、加藤典洋氏と高橋哲哉氏の論争(注5、6参照)は、被害記憶と加害記憶の不条理なねじれを母床としている。私はこの論争をアジアの知識人、とくに私の立場からは中国の知識人の前に開示し、その反応を受けるところから吟味を始めたい。その場合にまず問題になるであろう相互の文脈の齟齬が、問題を深めるための切り口となると予想される。

(4) 孫歌「思想としての「東史郎現象」」参照、『アジアを語ることのジレンマ』岩波書店、二〇〇二年。東史郎氏については前章の注(3)参照。

(5) 加藤典洋『敗戦後論』講談社、一九九七年。戦後日本では、革新派の、外来の普遍である民主主義や人権に依拠した「外向きの自己」と、保守派の、祖国、天皇などの伝統的諸価値にもとづいた「内向きの自己」とが、分裂した、と。

(6) 高橋哲哉「戦後責任再考」『戦後責任論』所収、講談社、一九九九年。「日本国家という法的に定義された「政治的」共同体に属するという意味での「日本人」」(四五ページ)。

(7) ハーバート・ノーマン「歴史随想(1)クリオの顔」『ノーマン全集』第四巻所収、岩波書店、一九七八年。

(8) 「混同秘策」、日本思想大系『安藤昌益・佐藤信淵』所収、岩波書店、一九七七年。

(9) 高橋哲哉「今日の〈歴史認識〉論争をめぐる状況と論点」参照、『〈歴史認識〉論争』作品社、二〇〇二年。

(10) 高橋哲哉「日本のネオナショナリズム1」前掲書所収。

(11)「朝日新聞」二〇〇四年一月二十七日、財務省「〇三年貿易統計」。
(12) 竹内好「日本とアジア」(初出、一九六一年)、同名書所収、ちくま学芸文庫。

II

4　歴史のなかの中国革命

〝西洋の衝撃〟という物語

ここで中国革命の歴史を考えるというのは、もっぱら視座についてのことである。視座とは、二十世紀に中国で起こった革命を、中国の、あるいはアジア、あるいは世界の歴史の文脈のなかで、どう位置づけ、また意義づけるか、という歴史の文脈を俯瞰する視座のことである。その革命は、どこから始まり、どこをどう経由して、現在はどこに至っているのかを、どの広がりで展望するのかという、その広がりをもった展望台がここでいう視座である。視座が問題になるのは、視座の位置や展望する視野の広がり方の違いによって、革命の捉え方が変わり、ひいては中国の現在が過去の革命あるいは、いわゆる中国型社会主義とどういうつながり方をしているか、つまるところ現代中国をみる見方に関係するからである。

さて、歴史の文脈のなかで中国革命を考えようとするとき、真っ先にぶつかる問題は、歴史の時間のどの部分を中国革命として分節するか、である。これまでの通説的な理解では、一つには一八四〇年のアヘン戦争から一九一一年の辛亥革命をへて一九四九年の中華人民共和国の成立までを革命期とする。もう一つには、一九一九年の五・四運動から二一年のコミンテルンの指導による中国共産党の創立、抗日戦争、国共内戦をへて、一九四九年の中華人民共和国の成立およびその社会主義建設過程までを革命期とする。この中国の歴史の文脈における二種類の分節は、長短の違いはあるが、動因から見ると、実は違いはない。すなわち、いずれもその文脈を、アヘン戦争以後の西欧列強の侵入、それに対する抵抗、敗北、混迷、革命、建設という動因から分節づけている、という点で同じである。

ここで私のいう分節というのは、単なる区分ではなく、そこに歴史の展開、言い換えれば歴史を動かす動力の働きを認めるということである。つまり分節するというのは、歴史を結果としての現象からではなく、現象の生起因としての動因から見る、ということである。

これまでの中国革命の見方は、その分節からすると、西欧列強の侵入を初発のそして根基の動因としている、といってよい。この見方は通説的な中国の近代過程への見方に包摂される。すなわち、中国革命は、アヘン戦争以後の西欧列強の侵入——〝西洋の衝撃〟——に触発された中国の近代過程の中国的な成就である、と。

安穏な眠りについていた「眠れる獅子」がある日突然、西欧から痛撃を受け、民衆にとって頼りにならないその獅子は結局、民衆の革命によって倒され、混迷と動乱の後、やがて「人民」による社会主義中国として回生した、という分かりやすい物語がそれである。

この物語の特徴は、近代化にせよ革命にせよ、その動因を外からの刺激としてやってきたものとする、という外因説に立っていることである。(1)

この外因説の特徴は、アヘン戦争以前と以後の間に歴史の文脈のつながりを見ない、そこに文脈上の断絶を見る、という点にある。眠れる獅子というのは周知の如く清王朝を指す。「眠れる」というのは〝西洋の衝撃〟以前の清朝の状況を比喩したもので、十七―十九世紀の清朝の歴史には「近代」や「革命」につながる文脈はもとよりその動因になる因素というものが存在しなかった、ということである。このように、アヘン戦争を境に分節化する通説的な理解によれば、アヘン戦争以前の清朝の歴史には「近代」や「革命」につながる文脈がないということになる。

太平天国と軍閥の割拠

私はこれまでこういった通説的理解に疑問を呈してきた。(2) 私の見方では、「近代」「革命」は、後に略述するように、十六世紀末から十七世紀初頭すなわち明朝末期から清朝初期にかけて萌芽的に生起している。

ただし、私は上述の、西欧列強の侵入、それに対する抵抗、敗北、混迷、革命、建設という分節づけ自体に疑問を呈しているのではない。歴史の事象としてそれは確かにあった。例えば混迷の事象としての太平天国、あるいは軍閥の割拠。問題はそれらをどういう文脈につなげて見るか、である。すなわちアヘン戦争からの文脈につなげるのか、十六、七世紀からの文脈につなげるのか、である。

結論的にいえば、中国の歴史の全体像が見える高い位置に視座を置いて俯瞰してみると、それらの事象が十六、七世紀以来の古い文脈に連なっていることが見えてくる。

太平天国でいえば、その田土の公有（共有）化というスローガンは、十七世紀初の「均田均役」要求や「田土均分」の議論などの下流に位置するものとして、また軍閥割拠でいえば、その各省の独立という行政組織上の地方分権化は、十七世紀初頭の地方自治論議の下流に位置するものとして、それぞれ位置づけられる。

私のこういった指摘は直ちに次のような反論に遭うだろう。そもそも太平天国の動乱は「アヘン戦争による多額の出費と賠償金の負担が重税となって民衆を苦しめ」た結果起こった、と教科書にも書いてある、また軍閥割拠も地方自治というよりは「近代」国民国家の建設過程の阻害物という文脈に入るのだ、と。

そこで以下に、煩雑になるのを敢えて歴史上の説明を加えさせてもらう。

太平天国についていうと、同じく田土の「均」を標榜したという点で明末の農民反乱と同じ文脈に入りながらも、明朝末期の李自成の乱が「均田均役」すなわち税糧の均正な分担を求めただけのものであるのに対し、太平天国が「天朝田畝《でんぽ》制度」すなわち田土の公有制（共有制）を主張したというまさにその点に歴史的特性がある。中国では王朝の統治理念（後述）の中核に「均」思想が、また儒家の経世の理念として三代の古えの「井田《せいでん》・封建・学校」(3)がある。為政者は「均」の統治理念を「井田制」という田土の配分策を通じて（実際は実現しなかったが）実現しようとした。このような上からの「均」の施策に画期的な変化が現われたのは十六、七世紀、明末清初期のことである。すなわち当時の批判的知識人である黄宗義《こうそうぎ》（一六一〇―九五）らの言説に見られる特徴は、まずそれまでの、田土を「王土」すなわち原理的に朝廷・国家のものとする伝統的な観念に対し、「民土」すなわち原理的に民の私有に属するものと主張したこと、次に朝廷・国家の所有田土を解放して、全耕地面積を民間に均等に配分するように主張したこと、に見られる。

この主張は、十六、七世紀には、宋代以降の私的所有制の広がりのうえに、原理的にも「民土」観が通念化しつつあったこと、また同時に均分相続制という中国に固有の相続制度により田土所有が細分化・流動化している、とくに貨幣経済の進展により流動化が顕著になりつつある状況を反映して、私有田土の均分化の問題が当時の重要課題であったことをうかがわせる。

実際には彼らの言説は施策として実現したわけではなく、流動化の歯止めと所有の均分化の課題は、その頃から広がりはじめた宗族制に託された。この宗族制という血縁的な共同組織は、あくまで田土の私的所有制を共同関係の基礎としており、その私的所有の上に宗族内の均分的もしくは共同的所有（公有）が成り立つと観念されていたのであった。太平天国をこの文脈に入れて考えると、「天朝田畝制度」における「公有（共有）」の主張の歴史性は、十六、七世紀以降の「民土」観と宗族的公有・相互扶助の理念を継承しつつ、宗族制における血縁的結合の閉鎖性を打破し、太平天国という一種の「国」共同体の公有化に拡大しようとした点にあったと、考えられる。実際には「天朝田畝制度」は施行されず、スローガンに終わり、それの実現は毛沢東（一八九三―一九七六）の国家共同体的な田土公有（国有）化に委ねられた。つまり、この俯瞰図においては、明末清初期の私的所有を踏まえた「民土」観の確立、民の下からの田土の「均」等配分の主張、清代に広がった私的所有に立った宗族制的「公有（共有）」、太平天国の「国」共同体的な「公有（共有）」の主張、孫文（一八六六―一九二五）ら革命派の田土政策（地権平均、耕者有田（耕す者に田を））、毛沢東の国家共同体的な田土公有（国有）化政策、改革開放政策による公有制の名目下での私的所有の側面の復活、というふうに一つながりの脈絡に描ける。

軍閥の割拠にしても、王朝の倒壊が明朝末期のように群雄割拠によるのではなく、各省の独立宣言（辛亥革命）というかたちで現われたまさにそこに清朝末期の歴史性がある。王朝がその末期に解体（地方権力の割拠）の方向に向かうのは各王朝に共通に見られる現象だが、明朝の倒壊にあっては、上述の黄宗羲ら多くの儒家知識人により、一種の地方自治論（彼らは「封建」の名でそれを主張した）が主張された。こういった「封建論」（例えば県知事の中央任免制を地方の選出制にする、県知事を地方の名望家の世襲にするなど）は清朝によって抑圧され、地方自治が制度的に実現することはなかったが、清朝に広まった宗族制自体は一種の地方自治であり、また各地方に設置された塾、書院、孤児院、施療院などの設立、維持、運営、あるいは橋梁、道路、灌漑などの建設、修復などの公共事業は多くが宗族の長を含む地方の名望家（郷紳《きょうしん》層）ら「民間」（「民間」については「結びに代えて」参照）の経済的・社会的な指導力・影響力に依拠していた。

太平天国を制圧するため、それまでの清朝正規軍（緑営軍）に代わり、曽国藩（一八一一—七二）に湖南省人による軍隊（湘軍）の建軍が委託されたとき、その役割を負担したのは湖南省の郷紳層であった。この湘軍は、旧来の清朝正規軍が、赴任地の農民反乱鎮圧を目的にして、わざわざ遠隔地から派遣されたいわば異郷人の軍隊であったのに対し、自分たちの郷土を防衛することを目的とした湖南省人（本郷人）の軍隊であった。つづいて李鴻章（一八二三—一九〇一）によって建軍された安徽省の淮《わい》軍も同じである。これは経済・社会上の実権をもっていた地方の「民間」有力層が軍権を併せもったことを意味する。各省の独立という辛亥革命の局面は、このように地方に委ねられた軍権を背景にして可能となった。清王朝は、意図に反し、それが歴史の弁証法・アイロニーというものだが、湘軍・淮軍（のちの軍閥）の建軍により、王朝を倒す軍隊をその内部に胚胎してしまったのである。

以上、王朝の倒壊を、中央集権から地方分権への文脈として見る場合には、十六、七世紀の「封建（＝地方自治）」論、宗族制的「民間」空間の拡大、地方の名望家による「郷」的公共活動、湘軍・淮軍の建軍による省の軍事権の確立、省独立による辛亥革命すなわち王朝体制の制度としての瓦解といった、絶えまのない地方分権化の流れとして捉えられる。

このように見てくると、清代という時代は、前代の宋代から明代までは有効であった県知事を末端とする中央集権的な官僚体制・行政機構が、「民間」の力量の増大の前に相対的にその比重を軽くしていき、(4) 地方の「民間」勢力の力量がその比重を増していった時代、そして太平天国を契機にそれらが軍権をもつに至り、最終的には各省の独立という地方分権的な共和制にいたった、端的にいえば、中央集権体制が内部の地方分権体制——十六、七世紀以降の「民間」の地方勢力の増大化の趨勢に、十九世紀後期以降ヨーロッパの近代政治制度や思想がからみ、化学反応を起こすようにして生まれた新しい体制——の圧力によって倒された、と俯瞰することができる。ちなみに一九二一年に書かれた毛沢東の論文によれば、彼はその当時、湖南共和国運動に参加していた。ただし翌二二年の中国共産党の方針には軍閥の打倒による強力な中央集権国家の建設を掲げており、当時の局面は複雑であるが、ほぼ同じ時期に毛沢東が湖南共和国運動に参加していたというところに、当時の地方分権化の趨勢を察することができる。軍閥を、ただ地方割拠というだけでいきなり「封建軍閥」と規定するこれまでの軍閥観は、中央集権的な国民国家を「近代」の典型とする西洋中心主義的な観点によるもので、この観点は、各省の独立による王朝体制（王朝の倒壊ではなく王朝「体制」自体）の倒壊、終焉という、「地方分権化」の歴史作用の画期的な側面をことさらに無視するものである、とだけは言っておきたい。

以上、太平天国や軍閥割拠が、十六、七世紀からの文脈の展開として俯瞰できることを説明した。

王朝「体制」の崩壊

ここで、私の中国革命についての見方を述べる。

まず私は以上述べてきたことを踏まえて、これまで私を含む多くの人がほとんど自明のこととして見過ごしてきた、中国における王朝「体制」の崩壊という事実のもつ意味の大きさを、あらためて意識化したい。(5) 思うに、王朝体制の持続はヨーロッパの国民国家の目で見れば、あまりに異様な世界であり、だから中国の近代や革命にとってそれの倒壊はまったく自明の前提と観念された。ことにマルクス主義的歴史観の歴史段階論やアジア的停滞論が中国にも入ってくると、二千年にわたる王朝体制の延続は、それ自体が古代の化石の延続と見なされ、一日も早く倒壊するのが成り行きとして自然と見なされた。だから王朝体制の倒壊は、既定・当然のこととしてあらかじめ前提され、この事実の意義にまで考えが及ばなかった。しかし、王朝体制の倒壊は、腐木が西洋の風の一吹きによって倒れるべくして倒れた既定の筋書きというのではなく、十六、七世紀以降の中国の歴史のなかから、いわば中国の歴史のなかの動力によって実現した衝撃的なドラマなのである。この中国における王朝体制の倒壊という近代史的な事象は、日本の明治維新が天皇制国家として再生したことと対比すれば、東アジアにおける顕著に対照的な（もう一つの）政治的近代過程タイプ（「もう一つの近代」に関しては「結びに代えて」参照）として意識化されなければならない。「獅子」は決して惰眠を貪っていたわけではなかったのである。

以上、この革命は、それまでの革命が王朝の交替をもたらしただけなのに対し、王朝体制の倒壊をもたらしたという点に、第一の歴史的特質が見出される。

次に第二の特質として、この王朝体制の倒壊が各省の独立という、つまり王朝体制の構造そのものの組み替えとして実現したこと、が挙げられる。各省の行政機構の構造的な、いわゆる「地方分権」化をもたらしたこの革命は、もはや再び中央集権的な王朝体制にもどる余地を残さないものであった。ただし、その結果、軍閥割拠という局面を、（ちょうど唐王朝が宋王朝に交替したあの唐宋変革期とよばれる大きな転換期に五代という戦乱期をもたざるをえなかったように）否応なくもたらさざるをえなかったため、その割拠がヨーロッパ中世の封建領主の割拠制になぞらえられ、これもまた後進性の一つと見なされた、のではあるが。

ここで中国の歴史のために弁じておくと、二千年来の王朝の交替は、単につぎつぎと王朝名が変わったというだけではなく、それぞれに歴史的な特質が刻印されており、王朝の交替という分節は、歴史の展開の分節でもある。例えば、同じく王朝の倒壊といっても、明朝の倒壊のときには李自成、張献忠、呉三桂といった群雄の割拠であったのに、清朝倒壊のときには省の独立運動の形態をとるというところに歴史の変化が見られるのである。

第三の特質は、王朝体制の崩壊の後、最終的には国民国家の一形態である「人民共和国」を建国したことである。一九一一年の王朝体制の崩壊から一九四九年の新国家建設に至るまでに三八年間を要し、またその三八年間の大半が抗日戦争と国共内戦に費やされたため、この時期こそを中国革命のドラマに満ちた道筋、すなわち五・四運動、中国共産党の創立、農民革命の方針、根拠地政策、抗日戦争、国共内戦、人民共和国の建国といった革命の道筋であると認める見方が、これまで主流を占めている。この見方はもちろん主流を占めるだけの豊富で実証的な事実に支えられているが、それを認めながら、この三八年間をわれわれの視座で展望するならば、二千年来の王朝体制の終焉という「縦帯」(6)の歴史過程が、アヘン戦争以来の西欧・日本の帝国主義的侵略、西洋文明の流入、先進資本主義国の市場専有化という「横帯」(後述)との衝突、受容をへて、新国家を建設した過程、つまり「三千年来の危局」の克服過程と見なされるであろう。前者の見方に立てば中国革命はすでに過去形となるが、後者の見方に立てば、「縦帯」と「横帯」の交錯は今も現在形となる、という違いが生じる。

第四の特質は、清王朝と人民共和国とはまったく異質な国家体制と見なされるが、にもかかわらず、統治理念が継承されていること、およびその統治理念内容に「近代」的な変質がもたらされたことである。元来、中国では、歴代の王朝が同一の統治理念を継承しつづけていることで特徴づけられるが、その継承がこの異質と見なされる二つの国家間にも認められる。ここで同一の統治理念とは「天」であり、統治理念としての天は、これをパラフレーズすれば、「民以食為天」「均貧富」

「万物得其所」の三項に分解される。「民は食を以って天と為す」というのは現代風にいえば、民は天賦の生存権をもつということ、「貧富を均しくする」とは天（統治者）の配分が民の「分」に応じて公正であること、「万物各々其の所を得る」というのは、すべての生存が調和的に保証されるということ、である。

多くの人が見逃しているのが、清王朝が倒壊したあと、それまで二千年続いた統治理念はどうなったか、という問題である。清王朝が倒壊したとき、統治理念も消滅したのかといえば、そうではない。前掲の三項は清末の大同思想、孫文の三民主義（とくに民生主義）、そして土地革命を土台とした社会主義、などの政治思想として、化学的に変質しながら継承された。

第五の特質は、伝統的な「天」の統治理念が「近代」思想としての社会主義思想に近似的あるいは適応的であって、人民共和国は統治理念を組み替えながらも、それを基底にして結局、社会主義国家として成立した、ということである。

統治理念が組み替えられたその最も大きな変化は、それがヨーロッパの近代思想の波をくぐらされた、ということに求められる。中国の革命家たちは、一九一一年以降、五・四運動をへて、しだいにヨーロッパ渡来の無政府主義や社会主義に接近していった。そして共産党創立の後には、曲折をへながら、農民革命、土地革命としての本来の中国型の革命を志向し、かつ、かつて経験したことのない階級闘争、無産階級革命という運動理論を実践した。

通説的理解では、中国の社会主義革命は、国際共産主義運動の独自中国的展開であり、それは指導者毛沢東の、マルクス主義の中国的な適用に負っている、すなわち毛沢東はマルクス主義を中国独自なものに活用した、というものである。この見方は事実を正確に伝えたものであるが、外来の社会主義運動の側からだけ見ているという点で、事実を一面的にみた見方でもある。私は、この事実は、社会主義の側からだけではなく、中国の「天」の伝統的イデオロギー（そしてイデオロギーの土壌としての社会構造や社会関係）の側からも見られるべきだと考える。すなわち、国際共産主義運動の中国への展開という流れからだけではなく、「天」の統治理念（同時に民間の社会通念）の近代的な展開という伝統の基床からも見られるべきである。どの側から見るかは単に視線の方向の違いで、それによって事実が変わるわけではない、と言われるかもしれない。確かに事実は変わらないが、しかし事実認識は変わり、そのことの意味は小さくない。

例えば一九七八年の改革開放政策をどう見るかというとき、外からだけの視線から見れば、それは社会主義の後退、変質、挫折などと見られよう。内からの視線で見れば、もともとイデオロギーとしての社会主義は外来の運動理論であり、それが社会や社会生活の実態に合わなくなれば身体に合わせてサイズや服型を変えるか、どうしても合わなければ背広を脱いでチョッキだけになってもいい、そもそも中国革命の基本的な目的は孫文が分かりやすく説明しているように、全人民が洩れなく豊衣豊食すること、また「個人の発財（経済的に豊かになること）」は利己的にではなく「人人の発財」すなわち共同的な発財を通して有機的に実現されるべきこと、の二項に尽きるのであり、中国にとって社会主義はそのための社会主義であるから、計画経済が窮屈になればそれは当然改められる、まさに問題は「鼠を捕らえる」ことで、色の黒白ではない、と見える。

第六の特質は、中国のいわゆる中国的な社会主義思想は、伝統的な儒家思想、経世理念、民間倫理、社会通念に融和するものとして受容され伝統の文脈のなかに脈絡づけられている、ということである（8「礼教と革命中国」参照）。中国で、社会主義の受け入れ、あるいは中国内への引き込みを果たした基床というのは、統治理念だけではなく、前述のように清代に民間に張りめぐらされた宗族制や宗教結社などの相互扶助・相互保険のネットワークやシステム、およびそのなかで培われた民間の日常的な生活倫理、生活価値観、またその上に成立した「仁」「均」を理想とする儒家官僚・士大夫の経世理念の伝統、そこに生まれた大同思想、アナーキーな傾向の伝統的な「天下」生民の通念など、いずれも社会主義的な思想に融和的であり、それらも厚い基床となっていた。

社会主義革命としての中国革命は、このようにその土台に民間の儒教的な倫理観、価値観を横たえており、それが革命を法治よりは人治を、専（＝知識・技術）よりは紅（＝道徳・思想性）を、「私」よりは「公」を重視するという良くも悪くも道徳的な色彩を濃厚にした。そしてその趨向が毛沢東を文化大革命という極致に走らせ、それは、一見するところ徹頭徹尾伝統の破壊という姿をとった。しかし毛沢東が宗族制や宗教結社を壊滅させたことが、実はかえってその相互扶助システムの国家共同体的な拡大であったように、伝統の破壊は伝統（人治・紅・公）の極大の発揮でもあった。ただし文化大革命は失敗すべくして失敗し、一九七八年の改革開放政策への転換となったが、この進展期において、例えば私と公の新しいありかた、人治から法治への転換、紅と専の関係の見なおしなど、ものによっては百年来、あるいは三百年来の難題、法治の制度的な実現にいたっては二千年来はじめての難題に取り組もうとしている。

以上、この革命の特質は、三百年来の地殻変動の流れ（縦帯）とアヘン戦争以後中国に侵入した

「近代」（横帯）との交錯として、長期的・巨視的に展望されるのが望ましい。とくにこの革命は、民間の日常的な社会関係の基層の深部にまで及ぶ中国史上例のない広汎な変革である、という点に特徴がある。とくに一九七八年以降は、マルクス主義という外来の教条を脱いで「実事求是」に帰ったただけ、かえって変革は、例えば人治から法治への変革に見られるように、中国社会の深層に及ぶであろう。

歴史を動かしたもの

最後に、文脈の問題に簡単に触れておきたい。

今回私は、中国革命をアヘン戦争以降よりも十六、七世紀以降に重点を置いて分節してみた。この分節の根拠になっているのは、三百年、千年の文脈で歴史を眺望したときに浮かび上がる、ある連続体の存在である。もちろん私はそれ以外の、例えばアヘン戦争文脈などの通説的な文脈を排除するものではない。むしろ文脈は多ければ多いほどいいとさえ思う。しかしただ多ければいいというものでもない。

文脈において、分節を動力とか動因という面から見たとき、その分節がどこまでその動力、動因にかかわっているかが問われるだろう。動力や動因は表層にもあるし深層にもある。そして多分、動力が表層にあるのは文脈自体が表層にあることを意味する。例えば中国革命を五・四以後から新中国の成立までとする見方は、表層の文脈をたどった見方であろう。私の見るところ表層の文脈や動力はその働きが事象として見えやすく働きの及ぶ範囲が限定的かつ短期的であるのに対し、深層の文脈や動力は緩慢で働きが目立たず、しかし及ぶ範囲は広域的かつ長期的である。

この深層の文脈に触れるためには、中国の歴史のなかに先入見なく入らなければならない。先入見というのは例えば「近代」という観念をヨーロッパの近代過程を基準にして形成するとか、あるいはあるイデオロギーや理論に依拠し、またある仮説をあらかじめ用意するなど、である。中国の歴史を探るには、予見なく、しかもできれば千年単位、最低でも三百年単位の時間幅でその文脈を俯瞰するのがよい。ただしそれはおそらく中国の歴史に特殊なことで、変化がつねに表層的で見えやすい日本の歴史に当てはまるかどうかは分からない。

中国の歴史に入るというこの無味で孤独な作業は、それを敢えて行なうだけの主体の側の動機あるいは目的への情熱によって支えられるであろう。中国革命の文脈を探るというこの作業は、実はわれわれの動機や目的意識を自己に問うことをその裏づけとするのである。

ある分節を動力とか動因から見る、あるいは歴史の文脈のなかにどのような動力や動因を見るかということは、歴史のなかに入る歴史家の主体いかんにかかわることである。このこと、歴史に入るときの主体の問題については、別の文章（付「歴史叙述の意図と客観性」）に書いた。

（1）　ただし、一八五〇―六四年の太平天国の乱を内因としてこれに加え、農民の反乱、反清朝、人民革命という文脈を上記の物語に結び合わせることもなされるので、単純に外因説とばかりはいえない。もっとも、歴史家によっては、太平天国運動をアヘン戦争の賠償金、戦費の出費などによる農民の貧窮化に起因させるので、これらの人にとっては太平天国も大枠としては外因説の枠内にある。

(2) 拙著『方法としての中国』(東京大学出版会、一九八九年)所収「近代中国像の再検討」ほか。
(3) これらの諸概念については、『中国思想文化事典』(東京大学出版会、二〇〇一年)を参照。
(4) 清朝皇帝権力は官僚制の末端に及んでいた点で独裁的と評することができるが、それはあくまで官僚制内部のことで、民間空間にまで及んでいたわけではない、と私は考えている。このあたりの微妙な点については、大谷敏夫『清代政治思想史』第三章 清朝君主権と士大夫、参照。汲古書院、一九九一年。
(5) 『新世界史 教授資料』(山川出版社、二〇〇二年)は、辛亥革命のこの意義に注目し、「長い伝統をもった王朝国家がこの時点において共和制を実現している例は、ヨーロッパ世界を含めても数少ない。その意味では世界的にみてもきわめて重要な意義をもっている」と述べている。
(6) ここでは、清朝三百年の王朝制度倒壊の持続と変動の歴史過程を「縦帯」、アヘン戦争以後、資本主義、帝国主義、西欧文明の三つが縒《よ》りあうようにして地球を西から東へと覆いこむ状況を「横帯」という語で喩え、この「縦帯」と「横帯」の交錯、衝突、混交、変化の様相として、中国のいわゆる近代過程を見てみる。

こういう縦と横の帯の交錯という見方からいうと、従来の横帯だけの、つまり前掲の資本主義視座などだけの見方は、非常に単調で、しばしば西洋中心主義的な見方(現実からではなくイデオロギーからの、あるいは西洋尺度からの見方)に還元される。

例えば、現代中国は社会主義か資本主義かといった類の二分法的思考が西洋尺度から絶えず出てくるが、「主義」からではなく実態に即してこの疑問に答えるためには、横帯だけでなく縦帯も視野に入れて全局的な視野の広がりに立って、縦と横との交錯の構図としてそれを見なければならない。

中国について社会主義社会なのかについて答えるには、まず清朝に民間に拡汎した儒教倫理——私の見るところ儒教が民間に拡汎したのは明代後期に始まって清代なってからのことである——における「相互扶助」倫理を想起する必要がある。例えば明朝中期までは主に士人層の道徳律であった儒教が王陽明(守仁)らによって民衆層に広められ、それが明末以降、清代になると「礼教」と呼ばれて宗族の結合倫理や郷村秩序倫理として民間に広汎に普及した（縦帯）。しかし二十世紀初頭から宗族の宗法は「封建」の名で打倒の対象とされ、民国初期には「人を食う礼教」とまで非難されるに至る（横帯）。その一方、宗族制における儒教的な伝統にもとづく相互扶助・相互保険システムの面は残りつづけ、清末民国のアナーキズムや社会主義的共同思想の受容母体になり（縦帯）、毛沢東革命後には、少なくとも文化大革命までは相互扶助や利他の社会主義倫理として国家規模で再生された（縦帯）。この儒教における時代に応じた変化と展開の多面多様な色彩の組み合わせと変化しながらの連続と不連続とに、縦帯と横帯の複雑な交錯が見てとられよう。また資本主義社会かの問いに答えるには、かつて革命後の国家計画経済時代はある特定の（重工業化やインフラ整備のための）変態的な時期であって、現在の市場経済社会こそが、明代以降、中国民間社会に張られた商業ネットワークの継承発展態として常態であり、中国の「資本主義」はこの縦帯と現代の資本のグローバル化（横帯）との交錯であるという見方に立てばよい。

このように縦と横の帯の交錯という観点に立つと、従来の中国近代の歴史は政治的な評価の世界を突き抜けて、曲折に富んだ流れを見せていることがわかる。

5　中国近代の源流

歴史学は客観的な事実の学だといわれるが、正確には、それは、過去の無数の事実のなかからある種の事実を選び出し、選び出された事実を組み立て、組み立てられた事実にある解釈を与える学問である。すなわち、それは事実についての選択、組み立て、解釈の学問である。

しかし、それは歴史家個人の恣意的な選択、組み立て、解釈であってはならず、結果として歴史自身が発する歴史自身の声でなくてはならない。私が高校時代に先生から聞いた話だが、十世紀以前のこと、日本に運慶という有名な仏像の彫刻家がいた。彼は、樹木を材料にして仏像を彫るのだが、つねにこう言っていた。自分は樹木を彫って仏像を創っているのではない、樹木の中に鎮座していらっしゃる仏様を彫り出しているだけだ、と。歴史学というのは、究極には、歴史家の手によって歴史自身の文脈を掘り出す作業である。歴史家が事実を選び、組み立て、解釈するのではなく、歴史の事実が歴史家の手を借りて引き出され、その本来の立体像を現わし、人々にある感銘を与えるものなのだ。そのためには、歴史家は歴史の海のなかにあらゆる予断を捨てて入っていき、歴史の声を聴き取るだけの、没主体的であることによって主体的である、そういう無辺に主体的な力量を持っていなければならない。ここは歴史学について話をする場ではないので、これ以上は触れない（付「歴史叙述の意図と客観性」参照）。ただ、以下は、そういう前提での事実の選択、組み立て、解釈についての新しい見解であることを、あらかじめ了承しておいていただきたい。そして、さらにお断りしておきたいことは、私が中国の歴史像を発掘したいとする目的は、その歴史像によって、東アジアの既成の歴史像の歪曲を正し、それに付帯していた偏見、蔑視、差別をなくしたい、と願うことにある。

中国という近代

中国の近代は、これまで三つの視座によって、それぞれが交錯しながら、事実が選ばれ、組み立てられ、解釈されてきた。

一つ目は、資本主義および帝国主義の中国への侵入を中国近代の開幕とする資本主義視座。つまりアヘン戦争を中国近代の開幕とする見方でアヘン戦争視座といってもよい。これについては、多くを語る必要はない。この百年間、中国は資本主義列強の帝国主義的な侵略を受け、抵抗と反撃そして巻き返しを図ってきた。中国大陸における広い意味での資本主義の受容と軋轢《あつれき》は現在も続いている。

二つ目は、西欧文明の優位を否応なく自覚させられ自己改革を余儀なくされた過程、あるいはそれに対する抵抗・反撃の過程を近代とする文明視座。洋務―変法―革命という三段階論や、五・四運動を啓蒙運動とする見方などが、この視座から生まれた。ここでいわれる啓蒙は、西欧の市民革命の価値観に立ったものである。五・四期の啓蒙に厳復（一八五三―一九二一）の翻訳書『社会通詮』が及ぼした影響は大きい。原書の「図騰（トーテムすなわち氏族社会）―宗法（封建社会）―軍国（近代国家）」という三段階論を、厳復は「中国は七分が宗法、三分が軍国」と受けとめ、中国の歴史段階を文明段階に対する半開段階と認め、中国の弱体を時間の後れだけでなく、文明段階の後れとも見なした。梁漱溟《りょうそうめい》（一八九三―一九八八。9「もう一つの「五・四」」参照）は、五・四期にはじめて中国の民族文化への否定的な認識が顕著になった、と言っているが、それは厳復に始まったことである。以来、東西文明の問題は、さまざまな角度から論じられてきており、当然、中華文明の側の反撃も強められ、今世紀後半の五〇年、東西文明の共生や融合を願う人々の間では、むしろ中華文明の再評価あるいは優位性の承認に向かう傾向さえある。

三つ目は上の二つと表裏をなすものとして腐朽王朝の自壊という視座である。すなわち、資本主義近代についての中国の苦難の原因が腐朽した清朝の歴史的・文明的な後進性にある、と見なす見方である。例えば、近年中国で刊行された中国科学史[1]では、中国の十六世紀以降の自然科学の停滞の原因は、清朝の官僚制の硬直と腐敗にあった、としている。清朝を擁護しようとした洋務派が否定的に評価され、それを倒そうとした革命派が肯定的に評価されるのも、この視座による。

これまでの中国近代への見方は、以上の三つ、すなわち資本主義（アヘン戦争）視座、文明視座、腐朽王朝視座の三つが交錯したものであった。

この従来の見方に対し、私は以上とは別に、十六、七世紀以降に変化の初発が認められる中国タイプのある歴史変化の文脈を挙げたい。その文脈をどう呼称するか、いろいろと異論が予測されるので難しいが、この文脈を見通す視座をここでは内発変動型と呼んでおこう。では、それはどういう視座か。

長期安定した中華文明圏

この視座を考える前に、あらかじめ中華文明圏の特性を考えておきたい。

中華文明圏の特性が長期安定性にあることは、衆目の一致するところである。しかしそれをイスラム文明圏と比較してそう考える人は多くない。ほとんどの人は、ヨーロッパ文明圏と比較して、変化の激しいヨーロッパ文明圏に比べて変化に乏しい中華文明圏、というイメージを漠然ともっている。つまり、中世から近代にかけてドラスチックな変化を遂げた進歩と発展のヨーロッパに対して、王朝の交替が竹筒のように連綿と続いた持続と停滞の中華帝国、というマイナスのイメージである。

ところがそれをイスラム文明圏と比較してみるとどうであろうか。イスラム文明圏は、成立のはじめから前面にヨーロッパ文明圏、背面にインド文明圏との対立抗争を余儀なくされた。つまり、対等もしくは優位の近接文明圏と不断の抗争を強いられていた。その領域も、かつて西は地中海を越えてイベリア半島まで及んでいたのが、やがてアフリカ大陸北部まで後退し、一方、二十世紀以降、東はインドネシアまで延長した。文明圏全体が西から東へ大移動を遂げた、ともいえる。

それとの比較で中華文明圏を考えてみると、まず文明圏の中心である中国は中国大陸から外に出たことがない、つまり文明圏の領域が移動していない、また、古代から他の文明圏との交渉はあったけれど、ローマ文明圏、イスラム文明圏、インド文明圏などとの存亡にかかわるような武力的な対立抗争の歴史はもたなかった、そしてまた、奇妙なことにその周辺に安定した小王朝を並立させ、それらの小王朝すなわち日本・朝鮮・越南（ベトナム）などの王朝は中華王朝の周辺で数百年から千数百年の歴史を持続させているなど、多くの特性を発見できる。文明圏の移動がないのはおそらく地勢的な条件によるであろう。ヒマラヤ山脈や砂漠や距離の遠さなどが、他の文明圏との衝突を免れさせていたであろう。また、その内部が排他的ではなく融合的な、儒教や道教、仏教の文化圏であったことも安定と持続に関係があるであろう。さらに朝貢貿易システムという国際関係の柔構造が、中心国と周辺国、あるいは周辺国同士の相互間を、相互不可侵、内政不干渉の関係に導いていたのであろう。いずれにしても、早くに分裂し半ばは倒壊したローマ文明圏、戦う文明圏ともいうべき流動のイスラム文明圏、異民族移動の異文明回廊のようなインド文明圏などと比較すれば、中華文明圏の長期安定性は、地勢的に、関係構造的に、内部構造的に、豊かな特性をもつものであることが分かろう。これを単に〈停滞〉とみる見方は決して総合的・多元的な見方ではないことを知るのである。つまり長期安定・連続性はプラスのイメージに転ずる。

内発的な近代とは

以上の認識を前提として、ここで内発変動型の歴史過程に目を向けよう。実は私は内発という語はあまり使いたくはない。一つの民族や国の歴史は、民族や国の成立以前から以後も、つねに他の民族や国相互間、あるいは地域の相互間の交流の歴史であり、それは内と外という静止的・固定的な概念では捉えきれない流動的なものだからである。しかし、こと中国の近代に関しては、アヘン戦争以後を近代とする見方、すなわち西欧に触発された近代という見方が支配的であるため、それとの対抗上、外来に対して内発という概念を持ち出さざるをえない。したがって、ここでの内発は、ヨーロッパ資本主義の侵入以前から中国大陸内部に醸成されていた中国の歴史過程を指して限定して用いられる。

一つの例を挙げよう。清末の革命家、陳天華（一八七五―一九〇五）は『獅子吼』という小説のなかで、黄宗羲（一六一〇―九五）の『明夷待訪録』の君主論を挙げながら、ルソーに先立つその君主制批判が中国で市民革命に実らなかったのは、フランスではルソーの後に千百のルソーが続いたのに対し、中国では遂に一人の黄宗羲もその後に続かなかったからだ、と嘆いている。[3] これは、中国の歴史をヨーロッパ近代を基準にして裁断した人の嘆きである。曰く、中国には宗教革命がない、市民革命がない、産業革命がない、だから停滞と言われても仕方がない、と。確かに中国にはそれらの革命はなかった。しかし別の展開はあった。その道筋を私は内発的な変動と便宜的に呼ぼうとするのだが、それはどのようなものか。

黄宗羲を例にとろう。

まず、陽明学から見ていこう。陽明学とは歴史的に見てどう特質づけられるか。陽明学とは、儒教道徳、具体的には明の太祖の六論《りくゆ》の孝悌の道徳を、広く民衆層に拡汎し、民衆に郷村秩序を主体的に担わせようとした一種の精神革新運動であり、また、道徳秩序が政治秩序でもあるという当時の中国社会の特性から、それは一種の政治革新運動でもあった（日本の陽明学が幕末に果たした、個人の理念や覚悟の世界での革新作用とは構造が違うことに留意されよ）。

この運動は複雑な経緯をたどるが、黄宗羲は知識人の立場で、それを中央の専制に対する地方の分権自治という方向で継承し、その角度から君主論を書いた。実際には制度としての地方自治は清朝に弾圧されて実現しなかったが、ここで注目されるのは十六世紀末頃から南中国に広がりはじめた宗族的な結合である。宗族の結合は、血縁を孝悌倫理で結びつけながら、集団的に相互扶助と相互保険の体制をつくるというもので、その日常実践倫理が「礼教」である。北中国では宗教秘密結社が多く見られたといわれるが、これも擬制血縁的な相互扶助・相互保険の体制であり、宗族と違うのは孝悌よりは義が重んじられたということである。しかし、いずれにせよ、民間の宗族、ギルド、秘密結社などを土台とし、郷紳（地方の名望家）や下層の官吏、「民間」有力層などの中間層らが、地方官僚や中央権力層と交流しながら、相当の自治領域をもっていたことは事実である。例えば、地方の橋梁・灌漑などの土木工事から、家塾・郷塾などの教育機関、養老・育嬰・医療などの厚生活動など、ほとんどが「民間」の主導で行なわれていた。それら、本来ならば政府によって行なわれるべき地方の公共事業が、「民間」の実質的な自治活動として担われていた。そのことは、中央の政治の場でも、例えば各県に知事の補佐役としての郷官を設置せよといった上奏、あるいは宗族内の自主裁判権の要請の上奏などとして、表面化している。

明朝の里甲《りこう》体制という官制の納税システムの浸透に比べて、清朝では格段に「民間」の力量が大きくなっていた。その力量こそが、一方で太平天国を生み、また一方でそれを鎮圧する湘軍・准軍という地方自前の軍隊の編成を可能にさせたのである。その湘軍・准軍の活躍に対し、当時革命派であった汪精衛（一八八三―一九四四）が「満人の中央集権に対する漢人の地方分権」という評価を加えた[4]のは、事態の本質を正確に見抜いたものである。

　黄宗羲は、清朝末期のこのような地方分権化、さらには辛亥革命の省独立運動という展開の上流に位置するのであり、黄宗羲の後には、もし強いて個人名を挙げるとすれば、呂留良（一六二九―八三）、曽静（一六七九―一七三六）をはじめ、歴史の皮肉として曽国藩、李鴻章、また鄒容《すうよう》（一八八五―一九〇五）、孫文など[5]、多数の黄宗羲がいたのである。

　すなわち、十五世紀頃から官主導の里甲制が崩れはじめ、民主導の郷村秩序が模索され、その趨勢に逆らった明朝は倒され、その趨勢に従った清朝が後を継いだ。清朝は制度としての地方自治は弾圧したが、宗族をはじめ民間の政治的・経済的・社会的力量が増大することを妨げなかった。というよりは、「民間」の力量との相互補完的な結合を権力の土台とした。そのなかで、権力と癒着しながら、「民間」の力量は増大し、遂に湘軍・准軍の建軍によって、軍事力まで「民間」の手に制御され、王朝の専制的中央集権体制自体が、終焉の時を迎えた。すなわち、中国における王朝体制が内部の弁証法的な歴史の動力によって崩壊し、新たな分権的共和制への模索が始まった。それが一九一一年の辛亥革命である。

　以上は、「封建（地方自治）論」の文脈から見たある一本の道筋である。これ以外に「井田（土地均分）論」、また「学校（知識人）論」から見る道筋などがあるが、ここでは省く。

内発ゆえの道のり

私の見方によれば、中国は太平天国以来、地方分権の遠心力を強め、洋務運動さえ実は、当事者の主観的意図に反して客観的には、その趨勢を強めるものであった。この遠心力現象は、歴史的に見て王朝の末期には必ず現われることだが、中国の歴史を俯瞰するとき忘れてならないのは、歴史が繰り返されているように見えながら、実は歴史の質が大きく変化していることである。私はそれを中国史における螺旋型展開と称している。清末の趨勢で特筆すべきことは、王朝の内部から王朝を倒壊させる鬼子――湘軍・淮軍を生みだし、それによって、省の独立運動というまったく新しい形態がとられた、ということである。明朝を倒した李自成、張献忠、呉三桂らは地方に割拠した反乱軍であっても、地方分権の方向性を自覚するには至っていない。彼らは上部の王朝権力の交替を夢見ただけに過ぎない。

それに対して清末の革命は、政治構造のうえで、省単位の行政機構に依拠しながら王朝を体制的に瓦解させ、またその機構に依拠しつつ、共和制という新しい政治・国家体制を模索するものであった。湘軍、淮軍が省単位で組織されたというのは決して偶然ではない。郷紳が省紳といわれ、官製のはずの保甲組織(郷村の自衛組織)がいつのまにか省単位の自治的な公局になっており、権力は省単位に分立しつつあった。そして省の独立。この行政機構としての省の独立という局面こそが、幾多の王朝倒壊の歴史のなかでの清王朝倒壊の歴史的特質である。この特質のゆえに、それは王朝の交替ではなく、体制としての王朝の倒壊、中国における二千年来の王朝体制の歴史の終焉となった。それがいかに大きな変動であるか、強調して余りある。王朝に代わるどのような政治・国家体制を樹立するか、まさに二千年来、未曽有の実験が必須とされた。この、中国が最も混迷に陥ろうとしている十九世紀半ばに、中国にとって不運なことに、外から資本主義（帝国主義）というこれまで遭遇したことのない大敵が市場の占有をめざして侵入し、中国の政治、社会、経済にさらなる混乱をもたらした。またそれは、中国にとってはまったく異質な原理（適者生存、弱肉強食）をもった、しかも中国に優位すると自覚された、西欧近代文明という名の異文明の侵入を伴った。

二千年来の脱皮を外敵から守るために、本来ならば洞窟に身をひそめて養生し、やがて回生して新しい姿を現わすべきところを、荒野に身を曝させられた大蛇が、養生どころか次々と猛獣に狙われ、身を食いちぎられ、のたうちまわる、という悲痛な状況であった。

ただし、ここで留意すべきことは、悲惨な状況にもかかわらず歴代王朝によって継承されてきた「天」の統治理念（民以食為天、均貧富、万物得其所）は、例えば清末の大同思想、孫文の民生主義（四億人の豊衣豊食）、またその後の社会主義理念として、構造式を変えながらも、基本的には依然として継承されつづけた。それは、統治理念としての天が、実は民の声である、ということを反映している。中国においては、天の統治理念は、本来的に社会主義的であり、社会主義の名目いかんにかかわらず天（相互扶助）の理念は、中国の人民の総体的生存にとって軽々しくは破棄できないものである。

はたして王朝体制を脱皮した大蛇は、人民共和制の社会主義国家という姿で回生した。資本主義（帝国主義）、西欧文明の多くの介入を身に刻まれて予期せざる変形を受けながら、しかし、否定的にせよ継承すべきは太く継承して、中国は中国として再生した。

中国は十九世紀から二十世紀の前半にかけて、歴史上、王朝の体制的な倒壊そして社会主義人民共和国としての再生、という最も大きなドラマを演じた。旧来の見方では、世界の文明史から落伍した朽木の王朝が、外から、資本主義・西欧文明の衝撃が与えられ、やっと迷夢から覚めた革命の先覚の手で倒された、というものである。毛沢東はこれを人民の力量という人民史観で解釈した。すなわち周知の、皇帝・地主の封建勢力とそれに結託した帝国主義勢力に対する人民の反帝・反封建の闘いという組み立てである。この毛沢東の人民史観の歴史解釈は、資本主義・西欧文明・腐朽王朝の三視座の交錯による事実選択と組み立てにもとづいている。人民にとって清朝をはじめ歴代王朝権力はすべてただ否定すべき対象とされた。現在、毛沢東の歴史観に同調する人々は日本ではほとんどいなくなった。しかし、中国近代を見るのに、資本主義・文明・腐敗王朝の三視座の交錯のなかで、事実を選択し、組み立て、解釈している人々は、日本ではなお依然として、おそらくほとんど大多数である。

例えば、日清戦争への見方についていうと、それを日本の帝国主義的なアジア侵略の第一歩と見ようと、ロシアの南下に対する祖国防衛の前哨戦と見ようと、立場は正反対でも、清朝を腐朽王朝と見なす視角に拠っている点では同じである。すなわち、それが腐朽王朝であったため資本主義化に立ち後れ、西欧文明の摂取について頑迷であったと見なし、その後れや頑迷さを清朝の敗因とみる見方である。この問題は大きな問題なので、ここでは議論しない。ただ、日本が、十九世紀末葉から二十世紀前葉にかけて、中国を侵略できた最も大きな要因は、はたして日本の早期の資本主義化の成功にあったのか、それとも、中国が荒野に脱皮の身を横たえていたその時期が、日本にとって唯一侵略が可能な好機であったことによるのか、それともその両者の組み合わせによるのか、組み合わせによるとすればどういう組み合わせなのか、そもそも近代の過程で、日本が天皇制と資本主義の道を選び、中国が共和制と社会主義の道を選んだのは、それぞれの十六世紀以降のどのような歴史の文脈の差異にもとづくのか、その差異をどのような歴史の視角で俯瞰したらいいのか、など今後議論すべきであろう。

（1）杜石然他編著『中国科学技術史』上、川原秀城他訳、東京大学出版会、一九九七年。

（2）『明夷待訪録』「原君（君とは何か）」、東洋文庫、平凡社。

（3）陳天華「獅子吼」『民報』第7号所収、一九〇六年。9「もう一つの「五・四」」を参照。

（4）汪精衛は下記のように言っている。

「中央集権（Centralization）とは、全国の政治権力が中央政府に集中し、地方の行政機関はその意を受けて使役されること、地方分権（Decentralization）とは政治上の権力が地方に分与され、地方の団体がその施策の責に自ら任ずることである。」

「満州政府が中央集権を謀る所以は、少数民族によって多数民族を制覇しようとする必然の結果である。」

「咸豊（太平天国の起こった年代）以来、中央集権の勢いは日に衰落し、地方行政官の権限は日に重くなった。……その原因は太平天国の役にある。太平天国が起こると、満州政府は……いっさいの兵政財政の権限を督撫《とくぶ》に委ね、先には軍政財政の両大権は中央政府が抱え込んで手放さなかったのに、今はこれを各省に分与し、この結果、督撫の権力は大いに伸張した。兵権についていうと、先には督撫が率いるのは緑営だけだったが、現在は各省が自ら兵を操練し、（中央の）兵部（アメリカでいえば国防省）の規制を受けず、……湘軍、淮軍が海内にあふれている。」

「満州政府は立憲の名を借りて中央集権の実を行おうとしている。……とすれば、未だ中央集権の実が挙がらないうちに我ら国民は急いで自治を図り、権力を地方の団体に集める絶好の機会である。……例えば教育の重要性は周知のことで、甲午（日清戦争の年）以来、各省は奮って教育を興し学堂を林立させたが、その任に当たったのはほとんどが民間であり、朝廷は無策であった。……各処の学堂はすでに民力によって開学し、多くは官府の規制を離れ、自由に教育の宗旨を定め、この結果、期せずして国民主義や民族主義が普及するに至った。……教育事業が地方団体の力によって担われれば、教育権は（地方に）掌握される。……要するに地方団体とは漢人団体であり、中央政府とは異族政府のことである。権力がどちらに属するのがよろしいか、言を俟たないであろう。」（「満州立憲与国民革命」『民報』第8号所収、一九〇六年）

（5） 呂留良、曽静はともに「封建」論を主張した。曽国藩、李鴻章は洋務派として清朝擁護の立場から工業の振興に努めたが、皮肉にもこの工業が地方の産業を活性化し、のちの省独立運動につながった。また大平天国の鎮圧のために建軍した湘軍・淮軍ものちに省独立運動とつながる軍閥に成育した。彼らは主観的には清朝擁護のために尽力したその功業が、のちに客観的には清朝を倒す力量を増大させる結果をもたらした。また鄒容、孫文はともに清朝を倒す革命のために尽力した。

6　再考・辛亥革命

国家でなく「天下」

「新しい教科書をつくる会」の教科書の検定・採択が問題になった二〇〇二年のこと。そのいわゆる教科書問題にかかわって、ある一つのことに気がついた。それは、中国の歴史教科書『中国歴史』人民教育出版社歴史室編著、一九九三年）も、日本の多くの世界史の高校用教科書も、また西尾幹二氏の『国民の歴史』も、みな異句同音に、中国の十九世紀以降を「衰落」の過程として叙述していることである。正確にいえばそれは清朝体制の衰落なのだが、あたかも中国自体の衰落であるかのような書き方である。

ここで私は素朴な疑問を抱いた。日本については幕末の徳川幕藩体制の衰退を幕藩体制の衰退とはしていても、日本国の衰退とはしていないのに、なぜ中国については清朝体制の衰退をそのまま中国の衰退とするのか。日本については明治の新政府の建立を国家の新生としているのに、なぜ中国については、辛亥革命による共和国の建立から一九四九年の中華人民共和国の樹立に至る一連のドラスティックな新国家建設の過程に対して、新国家の新生という見方をしないのか。

封建割拠の幕藩体制から天皇制中央集権体制へ移行した日本の「分権から中央集権へ」の明治維新（一八六八年）と、二千年来の中央集権的王朝体制を倒して共和体制（省独立・軍閥割拠など一種の地方分権制）に移行した中国の「中央集権から地方分権へ」の辛亥革命（一九一一年）と、この二つの歴史過程は、同じく新国家建設の過程でありながら、まったく正反対のベクトルと構造をもった変革であり、比較するに魅力的な対象であるのに、なぜこの変革過程における二つの歴史構造上の差異について、両者の比較を行なおうとしないのか。いやそれどころか、明治維新は「旧秩序の崩壊・新国家の建設」という文脈に置かれているのに、辛亥革命や人民共和国は、日本でも中国でも、それとはまったく異なる「反帝・反植民・反封建」の文脈に置かれて、比較を行なう前提さえ崩されているのはなぜか。

そのわけは、要するに、中華人民共和国の建国が「アヘン戦争以来百余年にわたる列強支配からの解放」「数千年にわたる封建的抑圧からの解放」「反帝反封建闘争の勝利」（高校用教科書『新世界史・教授資料』六二八ページ）であるのに対し、辛亥革命が「反帝・反植民・反封建の指向」において、「なお不徹底な革命であった」（同、五四六ページ）とされることによる。

辛亥革命によって樹立された新国家は、「なお不徹底な革命」の結果として、半植民地的なまた「封建」軍閥割拠の分裂国家であり、また独立した統一国家、まして近代的な国民国家でなかったから、とても近代過程としての歴史叙述の対象にはならない、だから、それは明治維新とは対比しようがなかった、というのだろうか。「国民国家」を「近代」国家の典型とする西欧型近代の目からは、政府が分立割拠している状態は要するに無国家状態であり、単なる動乱期でしかない。ここでは、中国の歴史文脈にあっては分立割拠時代や異民族の支配時代も正史に組み入れられている、という中国固有の事情は考慮されていない。

実際は、中国では「国家」とは伝統的に朝廷・政府のことで、民衆の自意識では、民は国家すなわち朝廷の民というよりは天下の民なのであるから、王朝である「国家」がどう興亡するかはもともと民衆の関心の外にあった。王朝や政府が分立割拠していようと無国家状態であろうと、天下の民の生活は存在しつづける。このように「国家」への求心性に欠けた民衆は、だから当時は、西欧型の「国民」の基準からは「散沙の民」[1]と慨嘆されざるをえなかった。しかし、この三八年間を「国家」の視座でなく「天下」の視座で俯瞰してみたらどうか。そうすれば、この三八年間に「旧秩序から新国家へ」と脈絡する幾本かの太い綱が見えるはずである。すなわちそのうちの一本が「分権」から再び「集権」へ向かおうとする綱、もう一本は民を「天下の民」から「国民」へ創りかえようとする綱、である。

このように、「国家の目」ではなく、それを包み込み、かつそれを越える「天下の目」で見てみれば、中国にも「旧秩序の崩壊から新国家の建設へ」という近代視座が適用できることが仄見えてこないか。

反帝か近代化か

ここには、中国の近代史について、二つの歴史観があるといえる。一つは既成の「反帝・反植民地・反封建」史観であり、もう一つはこれまで無視されてきた「近代化・新国家建設」史観である。

後者の歴史観についていえば、この歴史観がこれまでなぜ無視されてきたのかは、結局一九一一年の辛亥革命から四九年の新中国建国までの三八年間の動乱期——旧秩序から新国家へ移行する過渡期としてはあまりに長すぎるこの三八年間——をどういう歴史の目で見るか、の問題に帰する。

ここで問題を解く一つの鍵は民国期の「軍閥」にある。日本型（実は西欧型）の近代国家建設は、封建領主制（地方分権）から絶対主義国家（中央集権）に向かうという特色をもっている。この西欧・日本型の近代過程の特色を基準にすれば、地方割拠（地方分権）の軍閥は近代国家建設（中央集権）にとって歴史を逆に回転させる「反動」勢力ということになる。そのため地方割拠的であるというそのことだけで、いきなり「封建」軍閥というレッテルを貼られてきた。

しかし、もしわれわれのように、十六、七世紀以降の、「民間」力量の上昇に伴って王朝「制度」が倒壊していく過程、すなわち「中央集権制から地方分権化へ」という趨勢を中国の近代期の長期的な歴史過程とする見方に立つならば、軍閥の形成に向かった歴史のベクトルは決して歴史の逆行ではなく、王朝型中央集権体制を崩壊させる歴史の動力作用の重要な一つである、と考えることができる。

実際、例えば山東省が独立を宣言したとき、諮議局（省の有力者たちによる自治的な代議機構）が清朝に突きつけた八条のうち終りの四条は、憲法に中国が連邦政体であることを明記する（第五条）、地方官の任免、地方税の税率などは本省で決定し中央政府はこれに干渉しない（第六条）、（省の）諮議局の定める法は本省の憲法であり、自由にこれを改定できる（第七条）、本省は錬兵と保衛の自由を有する（第八条）とあり、[2]この最後の第八条こそは省の軍隊すなわち後の軍閥の合法化にほかならず、この推移のなかで見てみれば、軍閥は「封建的」すなわち「地方割拠」的であるまさにそのことによって、その時点での中国の歴史の流れに棹をさすべく貢献したのであった。汪精衛が発した「満人の中央集権に対する漢人の地方分権」（前章、注4参照）という構図は実際の歴史によって証明されたのである。

しかし、その後の歴史過程では、各省自治の上に共和制の「連邦政体」が載るという結末にはならなかった。実際この時期、アメリカ合衆国を見習って連邦制を称える論者（連省自治運動として広がった）も少なくなかった。しかし現実には、そうなるどころか、せっかく「集権」から「分権」へと流れてきたこの流れを、もう一度急速に「分権」から「集権」へと急転回して逆にもどそうとする逆方向への流れとして、歴史は動いた。

われわれ歴史家はこの逆流をどう理解したらよいだろうか。

表層的に見れば、逆流の発生について一つの重大な要因が見つかる。それは列強の中国分割化への危機意識からくる反軍閥（反分権）の流れである。一九二二年七月の共産党第二回全国大会宣言では、例えば、呉佩孚《ごはいふ》（北京を中心とした直隷地域の軍閥）と張作霖（東北軍閥）がそれぞれ米英と日本とを後ろ盾にしていわば代理戦争化していること、英国が陳炯明（広東軍閥）を利用して「孫文ら広東の民主勢力」を排除しようとしていることなどの具体例を挙げながら、列強の中国分割支配の野望に警鐘を鳴らし、次のように主張している。

……このように彼ら（帝国主義列強）が軍閥を利用し、中国のブルジョア階級の発展を阻害し、軍閥勢力下の有名無実の統一政府を、英・日・米の共同工具としようと計画していることは、すでに明々白々である。……十年来、いっさいの政権はすでに完全に各省の武人の手に分割されてしまった。ここでもし再び分権を主張すれば、省は国となり、督軍（各省の軍事長官）は王を称することになる。……ゆえに中国人民はまさに（軍閥）割拠式の聯省自治および（軍閥による）大一統的な武力統一に反対し、まずいっさいの軍閥を打倒し、人民による中国本部の統一によって、真正なる民主共和国を建立し、……一方辺境の人民の自主性を尊重し、蒙古、チベット、新疆ウイグルの三自治邦を促成し、さらにそれらを聯合して中華連邦共和国となすべきである。かくしてこそ真正に民主主義的な統一となる。」（『六大以前——党的歴史材料』所収、中共中央書記処編、人民出版社、一九八〇年）

ここで中国本部とは、蒙古、チベット、新疆ウイグル以外の当時の二十四省で、ここには強力な中央集権体制を構築し、そのうえで蒙古、チベット、新疆ウイグルの自治区と連邦しようというのである。

「連邦共和国」といいながら、事実上中央集権化に向かうこの方針は、流れを逆転させるうえでの分岐点の一つになるものだった。ただしこの逆流は必ずしも鋭角的なものではなく、ある種の混沌を含んでいた。例えば個人の例を挙げると、この大会宣言以前、毛沢東は出身地の湖南省の「共和国」独立運動にかかわり、一九二〇年九月から十月にかけて、「湖南建設問題の根本問題——湖南共和国」とか「大中国を打破し、多くの（小）中国を建設することを湖南から始めよう」などの論文をたてつづけに発表し、この運動の結果、二二年一月には、当時の省政府に『湖南省憲法』を制定、公布させるに至っている。その毛沢東は一方で二一年七月に中国共産党の創立大会に長沙代表として参加し、翌年の上記の第二回大会には出席しなかったけれど、この宣言の方針にもとづいて反軍閥の論文を発表したりしていた[3]といわれるから、中央集権化の方針と地方分権の実際とは、察するに、毛沢東個人のなかでは、その当時には必ずしも截然と分かれていたわけではなかった。

しかし、結局、個人や集団のさまざまな曲折や混沌を含みながら、この後、中国の歴史は一九二八年の国民政府成立以降、またとくに三七年の日中戦争以降、中心テーマを「集権、分権」から「反帝・反植民地」に転じ、列強とくに日本の侵略に対する抵抗とナショナリズムの昂揚をばねに、結果として急速に中央集権的な国民国家の建設に向かっていった。

以上が表層に視座を置いて見た「分権－集権」の三八年間である。ここでは「集権化」が主に列強の分割支配に対する危機感から捉えられたため、「分権化」は近代的な中央集権にとっては「国（＝小朝廷）」や「王」たろうとする「封建的」障害物という評価しか与えられなかった。

そもそも軍閥は、その淵源である湘軍・淮軍の建軍それ自体に、清朝の延命を目的として建軍されながら、やがて清朝を内部から崩壊させる鬼子となるという、対立と矛盾とを孕まされていた。こういったパラドックスにより、太平天国の鎮圧については反革命とされ、辛亥革命期には「新軍（一九〇三年の兵制改革によって編成された、各省の省民による近代的装備訓練の軍隊。後に軍閥となる）はその武力によって、革命軍側にあっては革命政府の中心となり、反革命側にあっては北洋陸軍として袁世凱の勢力の基盤となっていた[4]」云々と評価が右と左に引き裂かれ、あるいは清朝を倒した後は「封建」「反動」勢力とされるなど、その後の推移につきまとうものであった。

集権と分権

いま、こういった表層の目まぐるしい評価を離れ、深層に視座を置いて流れのままに見てみたらどうだろうか。深層の流れとは、ここでは例えば、かつて金観濤氏が挙げた中国の歴史における「集権―分権―集権」という循環サイクルである。(5)

私は、辛亥革命後の中国にアメリカ式の連邦国家が生まれなかった原因をいくつか考えてみたが、逆になぜアメリカに連邦国家が樹立されたのかを考えたとき、アメリカの特質として、歴史が浅く、中世も近世もなくいきなり近代から始まる、いわゆる歴史的な文化伝統をもたない、多数の民族の混合体であって民族文化の熟成度が浅い、土着ではなく他の大陸からの移民の国であり、各地方の経済的な隔差が大きくない、カリスマ的な政治的権威を必要としない――などが浮かび、この特質から民主主義的な地方分権制が適応的であろうことが類推でき、一方、このアメリカの特質を全部逆にすれば中国の特質になる、ということに気づかされた。その中国の特質とは、民族文化の熟成度や求心性が高く（いわゆる中華思想）、各地方の経済格差が大きく中央のコントロールを必要としている、また伝統的にカリスマ的な権威を戴いてきた、宋代以降、中央集権的な官僚制が千年以上も続き、厚い伝統を蓄積している――などのことに集約される。この特質は明らかに、辛亥革命以後の時点で、中央集権制が依然として中国に適応的であったことを示していないか。こう見てくると、少なくとも民国期の一時的な地方分権化の動向に、倉卒に連邦制への移行を想定するのは、見方として短期的・表層的なのではないか、と思わざるをえない。

そこで仮説的に、中国に適合的な形態を中央集権国家と見なすならば、軍閥の歴史的な存在理由にもその見方に即して、それなりの説明が与えられねばならない。

もし、清末から民国期の歴史が、これまで述べてきたような十六、七世紀以降の「集権―分権」という一方向的な流れではなく、もともと「集権―分権―集権」のサイクルの一環であった、あるいはもっと大胆にいえば、清末の「集権―分権」は次の「分権―集権」のための前段階であったとするならば、軍閥は、清朝を倒す、すなわち旧体制としての王朝「体制」を倒す、という歴史の任務のためにのみ登場した、いわば舞台回し役だったのではないか。軍閥はその役目を果たしながら、その成就の暁には、それ自体が旧体制の産物であったその限界のゆえに、かえって次の新体制の阻害物となるという、春秋に富んだ弁証法的な、あるいはパラドキシカルな役割を演ずるものであった、そしてまさにこの軍閥の役割にこそ、この時期の中国の歴史の屈折と陰影に富んだ特質が集中的に見られることになる。

このように軍閥の実際の歴史に沿って見てみると、「集権―分権―集権」という循環サイクルにも違った見方が出てくる。

すなわち、王朝の倒壊と再生の循環は、実は同一平面上の「集権―分権―集権」の単なる往復あるいは循環運動としてではなく、分権によって次の集権がどう新たにされたか、という新旧の集権の次元の更改のプロセスとして見られるべきかもしれない。すなわち王朝末期の分権化というのは、要するに旧秩序（旧集権制）への批判あるいは否定であるが、その旧秩序の否定の先には否定者自身が新秩序に否定されるという局面が待っているのである。とすれば、問題は、どう旧秩序を倒したのかではなく、どのように新しい次元に新秩序の再生（新集権制）があるかに在るということになる。

こういう観点から歴史を振り返れば、唐宋変革期の五代の時期やこの民国期など、旧から新への移行の変動が激動的である時期ほど、分権の様相が長期的あるいは混迷的であることに気づかされる。つまりそれは、激動期ほど「分権」の担い手の歴史任務が重いということを意味するであろう。

とすれば、軍閥の登場というのは、まさに分権がもっとも混迷し長期化した事例の一つであり、軍閥はその混迷を背負うことによって、旧王朝を倒して新しい国家建設に向かうための高層的な次元の更改に、重要なつなぎ役を果たしたと見なしうる。

アヘン戦争が近代か

以上、辛亥革命から中華人民共和国にいたる三八年間を、単なる動乱期としてではなく、「旧秩序から新国家建設」という文脈で見てきた。

これまでの中国近代史について、「アヘン戦争以来、列強の半植民地と化した中国は、悪戦苦闘のすえにみずからを解放して、一九四九年に中華人民共和国を成立させた」[6]と簡潔にまとめられるその歴史過程は、事実上「革命史」であり、その立場からの叙述である。われわれはいつのまにか中国近代史を、中華人民共和国を終点としあるいは目的とする視座、すなわち「反帝・反植民地・反封建」視座に慣らされ、それを不思議と思わなくなっていた。「反帝・反植民地・反封建」視座を放棄したと考えている人も、中国の近代をアヘン戦争からとする視座から自由になってはいない。

確かに中国近代の過程を「反帝・反封建・反植民地」の闘争の過程とする歴史叙述はすべて歴史の事実にもとづいて組み立てられており、それらは客観的な歴史事実に違いない。しかし、それはだからといって、歴史の全体像を伝えたものとはいえない。例えば、そこに河と山と平野があるとき、河の存在だけを伝えたとしたら、その河の存在自体は客観的な事実とはいえても、河、山、平野の存在という事実の全体像を伝えたものとはいえないだろう。「反帝・反封建・反植民地」史観は、すべていわゆる〝西欧の衝撃〟を起因とした局部的な歴史観であり、中国本来の全体像を捉えたものではない。

これらの歴史観は実は二十世紀の前半の、革命を目的とした歴史過程から生み出されたもので、歴史のなかから導き出されたものではない。にもかかわらず、日本でもこの観点が現在なお大筋継承されているのは、〝西洋の衝撃〟をアジアの近代の開幕とする観点が共有されているからである。

私はこのアヘン戦争を分岐点とする視座は、基本的に短期的・表層的な視座であり、それは二十世紀に必要とされた、その意味で二十世紀に時限的なものであると見なしている。

最後に一言。日本の「世界史」の十九世紀中葉以降の叙述は、ヨーロッパの歴史目盛のなかに日本の歴史目盛を組み込んだその合成の目盛で組み立てられており、中国ははなからその目盛には合致していない。一目盛の単位が違うのである。例えばアヘン戦争から中華人民共和国成立までの百年間に、ヨーロッパは第一次世界大戦、ロシア革命、第二次世界大戦をへ、日本もその間に明治、大正と昭和の戦前、戦後をへているのに対し、中国はそれらとかかわりそれらに反応しつつも、基本的にはその百年間は、西欧文明の摂取および王朝制度の倒壊とそれに代わる新国家体制の樹立という二つの長期的課題を一貫して追求していた。こういった異目盛の中国を包容できない「世界史」が、そしてまさにその目盛の違いが差別の根源になっているというそれが、どのように世界の歴史でありうるのか。これが中国の縦帯のもう一つの声である。

(1) 孫文『三民主義』民権主義、第二講。
(2) 李剣農『戊戌以后三十年中国政治史』第9章による。中華書局、一九六五年。
(3) 近藤邦康『毛沢東——実践と思想』第一、二章参照、岩波書店、二〇〇三年。
(4) 波多野善大『中国近代軍閥の研究』第三章、一七一ページ、河出書房新社、一九七三年。
(5) 金観濤『中国社会の超安定システム』若林正丈訳、研文出版、一九八七年。
(6) 小島晋治・丸山松幸『中国近現代史』まえがき、岩波新書、一九八六年。

7 二つの近代化の道——日本と中国

東アジアにおける近代化は、十九世紀半ばに欧米列強が東アジアに進出したのを契機に始まった、というのが、一九七〇年代までの世界の歴史家の通念であった。しかし八〇年代以降、日本では新たに私どもの次の見方が加わっている。すなわち、東アジアは十七世紀初頭にそれぞれの近代化の道を歩みはじめた。換言すれば、それぞれの近代化の構図を設計しはじめた。十九世紀半ばの欧米列強の進出は、確かに東アジアに大きな〝衝撃〟を与えたが、しかしそれは十七世紀以降の近代化の構図を破壊するのではなく、それを変革、補正しあるいは助長する役割を演じた、という見方がそれである。

例えば、中国では、十七世紀初頭の頃から地方分権をめざす動きが胎動しはじめ、王朝政府の抑圧のもとで、さまざまの曲折をへながら、やがて一九一一年の辛亥革命（清王朝を倒した共和革命）での各省の独立運動として現出した。つまり、中国では王朝の中央集権体制が崩壊し、各省独立の地方分権体制の上に共和政府が樹立された。中国の政治の近代化は、地方分権化による王朝中央集権体制の倒壊という構図であった。

一方、日本では十七世紀初頭以降、地方分権的な封建領主制の上に幕府政権が出現したが、十八世紀以降の商業市場の全国化などの趨勢を背景に、十九世紀以降、中央集権体制を志向する勢力が増大し、明治維新において天皇制中央集権政府を樹立した。つまり、日本では分権的な封建領主制が崩壊し、天皇制中央集権政府が樹立された。日本の政治の近代化は、地方分権制の解体による中央集権的な天皇制国家の樹立という構図であった。

もし東アジアにおける政治の近代化が、欧米の影響のもとに行なわれたと考えるならば、同じ欧米の影響のもとで、中国では王朝が倒壊し、日本では天皇制国家が出現した、という正反対の現象が説明できないだろう。

以上の例から、私達は、中国の近代化の構図と日本の近代化の構図はもともとかなり異なったものだったのだ、という推測を抱くであろう。

日本社会の資本主義化

その推測は誤ってはいない。日本が資本主義の道を選んだのに対し、中国が社会主義の道を選んだのも、実は近代化の構図の差異を示すものなのだ。では、なぜ日本は資本主義の道を選び、中国は社会主義の道を選んだのか。

まず、なぜ日本が資本主義の道を選んだか、について考える。

日本の十七世紀以降の社会のシステムの特徴は、以下のとおりである。

(1) 士農工商の職階制、世襲制

(2)　長子相続制——家産の安定的継承
(3)　私有財産権意識の確立と職業意識
(4)　武士の次男・三男による知識階層の形成
(5)　農家の次男・三男の農村からの流出による都市の形成

当時の日本は全国が二百数十の藩（封建領地）に分かれ、それぞれの藩に行政・司法・軍事の権力をもった支配者（藩主）がおり、その下に官僚としての武士階級があった。武士は田土を所有せず、藩主とともに都会に住み、その職階（官僚としての職務と官位）に応じて藩主から「家禄（世襲的な給料）」を支給されていた。藩主の地位と武士の職階はすべて世襲制であり、その地位・職階は少数の例外を除き、基本的に長子（長男）だけが相続した。武士たちは、藩主から支給される給料に世襲的に依存していたため、藩主には絶対に服従していた。またその「家禄」を守るため、職務に忠実に励んだ。彼らは清廉と勤勉であることを美徳とし、この武士の職業倫理は、十九世紀以降の天皇制国家の官僚の倫理として継承された。職階や家禄を世襲しなかった武士の次男・三男らは、長男の家に寄食するか自立して生活したが、自立する場合は、医者、儒学者、教育者などになった。

同じく農民も親の田土は長男のみに相続されたため、田土が相続によって分割されることがなく、世世代代継承され、田土の所有関係は安定的で、田土は「先祖代代の土地」と呼ばれて大切に扱われた。その結果、灌漑や作物の品種改良などに務める篤農家が生みだされた。農民の次男・三男は、長男の田土の小作人になるか、都会に出て商人の店で働き、あるいは職人（工人）として働いた。

こういった農村の次男・三男の都会への流入が、地方都市の形成を促進した。

商人も家業は長男に継承され、世世代代永続することを誇りとした。そのため信用を重んじ、職業道徳を大切にし、家業の発展に務めた。現在、日本の代表的な百貨店のいくつかは、このような商人の家業が発展したもので、二百年以上の歴史を持つものも少なくない。商人の次男・三男は長男の店で働くか分店を作るか、あるいは別の家業をつくるか、いずれにせよ商人の道を歩くものが多かった。

職人（工人）は技術を誇りとし、大工、家具職人、陶磁器工、工芸工などの技術は親方から弟子たちへと伝えられたが、親方の地位はおおむね長男が相続した。そのため親方の長男は、しばしば幼児の頃から技術の習得のため厳しい修練を始めた。

以上、家職、田土、家業、技能は長男に世襲されるのが常であったが、長男の性格や能力に問題があるときは、次男・三男などのなかの優秀な者が世襲するか、親戚または非血縁の子弟を養子に迎えた。つまり、長子相続制といっても、その実質においては血縁主義よりは実力主義が重んじられた。

この実力主義的な世襲制により、士・農・工・商の各階層に職業意識が、また農民や商人の間には私有財産権の意識がそれぞれ形成され、富農や商人の間には資本の蓄積も見られた。

このように、都市の発展、全国市場の流通、職業倫理、私有財産権意識の形成、技能の重視などの特徴は、資本主義の道を選ぶのに都合のいい条件となっていた。

中国の社会システム

次に中国の十七世紀以降の社会システムの特徴は、以下のとおりである。

(1) 科挙官僚制、非世襲制
(2) 均分相続制——財産の細分化、流動化
(3) 宗族制、宗教結社による相互扶助、共有制
(4) 工（技術＝末技）の軽視
(5) 儒教の「万物一体の仁」による「専利」否定、伝統的な「均」思想

中国では均分相続のため、親の財産は分割され、永続的には継承されず、所有関係は流動的であった。そのため「富は三代続かず、貧も三代続かず」という諺《ことわざ》があった。十七世紀以降、南方中国を中心に、宗族制と呼ばれる血縁の相互扶助組織が広がりはじめ、十九世紀には北方中国まで及ぶようになった。これは人口の増加による耕地面積の不足、貨幣流通による田土の流動化などの状況に対し、血縁関係のネットワークを通じて相互扶助・相互保険を実行しようというものである。具体的には、同族間に共有田を設置し、あるいは基金を置き、同族内の貧困部分を救済したり、優秀な子弟への奨学金に当てたりした。また、宗族組織以外に、宗教的な秘密結社組織があり、その数は南方中国より北方中国のほうが多かった、といわれている。この秘密結社は、非血縁関係の相互扶助組織の役割を果たした。宗族は血縁的な孝悌倫理によって結ばれていたのに対し、宗教結社は非血縁的な（あるいは擬制血縁的な）義理の倫理によって結ばれていた。しかし、そのいずれも組織の目的が相互扶助・相互保険にあったという点で共通している。

こういう状況を反映して、儒家官僚はしばしば「万物一体の仁」を主張し、貧富が平均化することを理想とした。十九世紀中葉、広東省のある県にその地方最初の紡績工場ができ、従来の家内手工業者がその圧迫を受けて暴動が起きたとき、当時の県知事は、その工場の閉鎖を命じた。そのときの布告の主旨は、「万物一体の仁」の立場から、専利（利益の独占）を許さない、というものであった。官僚層に共有されていた儒学思想の理念（仁・義・均）は、生存競争や弱肉強食を容認する資本主義的な競争原理とはなじまなかった。

この点では、日本の武士が、もともと弱肉強食の原理になじんでおり、また、その儒学倫理として忠・勇を重視し、それを継承した十九世紀以降の官僚や知識人が、国家や天皇やあるいは自己が所属する集団に絶対的に忠誠を尽すことを美徳としたのとは、非常に異なる。

また、中国では、職業も世襲されなかったので、職業意識とか職業倫理といったものはとくに発達せず、ただ儒家官僚や宗族組織、秘密結社組織を通じて、仁義や孝悌などの社会的な道徳が広められていた。田土も所有が流動的であったから、世襲的な私有財産権の意識も日本のようには形成されなかった。実際、十九世紀中葉の太平天国の反乱軍は、田土の公有を主張した。

このように、中国では、資本主義よりは社会主義の道を選ぶのに適した条件が成熟しつつあった。

中国「社会主義」の基層

日本ではこれまで、あるいは現在でも少なからぬ人が、近代化は西欧の主導によって始められ、それは資本主義の道であり、だから欧米の資本主義国が近代化の先進国であり、それに後れたアジア・アフリカ諸国は後進国である、と考えてきた。ただ、マルクス主義の歴史理論に依拠した人々は、社会主義を資本主義の欠陥を補って人類を新しい発展に導く段階と見なしていたから、中国の社会主義革命を日本の資本主義体制よりも進んだ段階と見なした。しかし、八〇年代にソ連の解体や中国の資本主義的市場経済の導入などに直面し、これらの人々は座標軸に混迷している。

私は、世界の歴史を先進・後進といった縦の序列で論ずることに反対である。日本が資本主義の道を選び、中国が社会主義の道を選んだのは、十七世紀から十九世紀までの、つまり西欧のアジア侵入がある以前からの両国の歴史過程、社会システムが、それぞれその道を選ぶのに適していたからにすぎない。

ここで注目すべきことは、中国の社会主義革命がマルクス理論とはまったく異なり、資本主義の爛熟からではなく未熟から生まれ、工場労働者ではなく農民を革命の動力とした、という周知の事実である。これまでこの事実は、マルクス主義の中国的適応、という観点から語られてきた。すなわち天才的な毛沢東が、マルクス理論を中国の特殊性に合わせて組み替え、毛沢東思想を創りだし、それを中国に適応することによって社会主義を中国的な「社会主義」にしたのだ、と。

しかし、私の見方はそうではない。中国にはもともと社会主義的な土壌が民間の社会システム、生活倫理、また政治の統治理念として存在していた。確かにマルクス主義理論は、十九、二十世紀の世界に大きな影響を与え、資本主義国のなかの労働運動、革命運動を導きだし、また西はソ連をはじめ東欧諸国、東は中国をはじめ北朝鮮、ベトナム、中米ではキューバなどのいわゆる共産国を生みだし、東西の対立という世界史的事件を作りだした。しかし、目をこのような十九世紀以降のマルクス主義の世界的運動という視野からずらして、十七世紀以降、中国大陸で進行した歴史過程に注目して見ると、ここに強固に張られた相互扶助のネットワーク、生活倫理、政治理念こそが、中国のいわゆる社会主義革命の土台であったことに気づかされる。つまり、社会主義システムは中国にとって外来のものではなく、自生的なものであり、マルクス主義はそれを理論化するうえでの、またそのいわゆる階級闘争の理論により革命を実践するうえでの、大きな刺激的媒介にすぎなかった、ということである。

むしろ、私は、いわゆる共産主義国だけではなく、ユーラシア大陸内の多くの国が、建国の段階で社会主義を標榜したという事実に注目したい。インド、ミャンマー、イラク、エジプト、アルジェリアなどが社会主義を標榜したため、世界ではこれを後進国の特殊現象という見方をした。しかし、もしかしたら、これらの国もその歴史過程や社会システムに、中国と同じような共同主義的な要素を胚胎させていたのではないか、そしてその共同主義的要素が土台となって、建国段階の社会主義的政策となったのではないか、という疑問が私にある。これは今後検討を要する課題である。

いずれにしても、日本と中国とを比較することによって得られる結論として、

㈠ 両国の近代化の道の差異は、優劣や先進・後進の縦の基準で計られるべきものではなく、タイプの違いとして見られるべきものであること。

㈡（梅棹忠夫氏がかって述べたように）ユーラシア大陸の西の辺境と東の辺境に封建領主制が生まれ、そこに資本主義に適合的な社会関係が成立したことをどのような歴史の目で捉えるか、ということ。および、

(三) 中国以外のユーラシア大陸内の諸国の歴史過程や社会システムが、どのような点で中国と共通し、また異なるかを考察し、アジアにおける近代化の過程における自生的要素の抽出作業を豊かにすること。

などが、私達にとって共通の課題になるだろうと提言しておきたい。

III

8　礼教と革命中国

民国期の「礼教」

ここで標題の礼教という語は、儒教の単なる別称としてではなく、ある特定の時代的・社会的な色彩を帯びた語として、用いられる。また革命中国というのは、一九四九年から七八年にかけての、いわゆる毛沢東思想の領導下にあった中国を指す。

礼教という語は、明代以前の文献にはそれほど多くは見られない。

古くは『孔子家語』賢君に「礼教を敦《あつ》くし、罪疾を遠ざく」とあり、あるいは近くは王陽明に「中国の礼教を住民の規範として彼らに遵守させせないとしても、……彼らにそれが尊重すべきものだということは分からせる」(1)とあるなど、用例がないわけではないが、目にする機会は極めて少ない。

一方、民国期の文献、たとえば雑誌『新青年』を目にした人は、そこに収録された儒教批判の言説のなかに、儒教を礼教と称して攻撃している例を多数見つけだすことができる。

わが国の旧説では、孔子・老子が最高に尊崇すべきものとされていた。こうして封建思想で

ある礼教が尊崇され、この結果、謙譲が美徳とされて民族の活力が弱化した。(2)

三綱(君臣・父子・夫婦についての道徳原理)の根本をなすものは階級制度である。いわゆる礼教あるいは名教はすべてこの尊卑貴賤の制度を擁護するためのものである。(3)

甚だしきは、魯迅が『狂人日記』のなかで「仁義道徳」を「人を食う(吃人)」ものとしたのを受け、「人を食うことと礼教」(4)なる一文を草した呉虞に至っては、「われわれは今こそはっきりと知らねばならない。人を食うことがすなわち礼教を擁護することであり、礼教を擁護することがすなわち人を食うことにほかならないことを」とさえ言う。

ここで注意すべきことは、これら当時の礼教批判が、特定の時代的色彩を帯びていたということである。すなわち、

西洋民族は個人を基礎とし、東洋民族は家族を基礎とする。……宗法《そうほう》社会は家族を基礎とし、個人に権利がない。……家長を尊び、階級を重んじるため、孝倫理を教える。宗法社会の政治にあっては、……国家の組織は家族のそれとまったく同じであり、元首を尊び、階級を重んじるために忠倫理を教える。忠孝倫理は、宗法社会、封建時代の道徳であり、半開化の東洋民族に共通の精神である。(5)

という言説に示されているように、この民国初年の礼教批判には、西洋の近代市民社会と対比された中国の「宗法社会」への批判がこめられている。

しかもさらにこの「宗法社会」という概念にも、特定の歴史的・社会的な色彩が塗りこめられているのだ。すなわちそれは、一九〇三年に厳復がE・ジェンクスの ***A History of Politics*** を『社会

通詮』の名で訳したその書に、歴史の発展段階として、トーテム社会、宗法社会、軍国社会の三段階が挙げられた、その「半開」の「宗法社会」段階を含意している。つまり宗法社会とは、未だ近代社会に到達する以前の「半開化」の段階であり、それは尊卑貴賤の上下身分社会であり、家父長制社会である、というのである。

民国初の「礼教」がこのような「宗法社会」と結びつけられていたということは、それが上下身分的・家父長的な封建倫理として特定されていたことを示す。

つまり、民国初の「礼教」に塗りこめられた特定の時代的・社会的色彩とは、歴史段階としては「半開化」の後進性、内容的には上下身分的・家父長的封建倫理である、というものである。

以下に私が括弧つきで表記するこの民国初期の「礼教」は、以上のように特定の歴史段階論に依拠し、かつヨーロッパ市民社会を基準にしたものであるため、中国の歴史上に実際に存在していた礼教の実像を正しく映し出しているとはいえない。

では、礼教の歴史的な実像とはどのようなものであるか（以下、民国期に特定のイデオロギッシュな意味を付せられたものを「礼教」、歴史的実像としてのそれを礼教と表記する）。

歴史の文脈のなかで

まず、礼教という用語の使われ方から見ていくと、この語は明代末期ころから徐々に使われはじめ、清代に広く一般化したものと見られる。

そしてその用語上の特徴として注目されるのは、この語が民間の生活風俗に関連のある場でしばしば用いられている、ということである。

例えば、黄佐・泰泉（一四九〇―一五六〇）が編んだ『泰泉郷礼』巻三所収の諭俗文に、「村のなかに、もしよく懺悔して自身を改新し、悪行を善行にかえ、礼教に循《したが》うことができる者がいれば、村の老人で有徳の者に次の処置をとることを許認する。すなわちその者のことを村の学校の教師に告げ、彼の懺悔や自己改新が真実であるか否かを調査した後、真実であれば改過簿（懺悔録）に彼の名を記録し、上部の査賞を待つことを」とあり、またこの『泰泉郷礼』を広東省内に流布した広東右布政史李中の告文に、「今年は大きな水害を被り、人民は非常に困苦している。私は、各村の人民が礼教に無知で善を行なうことができず、それが習性となって社会に混乱が生じることを恐れる」とあるなどがそれである。

こういった傾向は清代にも引きつがれ、族譜所収の家訓類や地方志の類にも少なからず用例を見出すことができる。例えば『桂陽羅氏族譜』（乾隆六十年〔一七九五〕序）の「家訓」に「冠婚葬祭の行事を行なうときには、朱子家礼を参照して行なうべきである。仏教や民間宗教の儀式を行なうことによって礼教を傷つけてはならない」、あるいは『南屏葉氏族譜』（嘉慶十七年〔一八一二〕刊）の「祖訓家風（家風についての先祖の教訓）」に、「第一条　礼教を尊崇する。わが宗族の冠婚葬祭の行事は、華やかではあっても奢侈であってはならず、倹約はしても粗末であってはならない。それぞれ自分の家庭の財力に応じて儀式の規模を決め、必ずしも世間の成例にとらわれない」とあり、あるいは安徽省歙《きゅう》県江村の『橙陽散志』に「歙風俗礼教考」が収録され、冠礼、婚礼、喪礼、祭礼の詳細が記述されている、などである。

これらの用例から、礼教という用語が、明末以降の儒教の民間浸透という趨勢に伴って広がっていることが察知できる。

私の考えでは、陽明学が果たした社会史的役割として、官僚本位の道徳治世の学であった朱子学を、民間本位の道徳秩序の学へと転向させた、換言すれば儒教道徳を士大夫の「修己治人」の学から民間の日常的な生活規範へと拡大させた、という点が挙げられる。つまり王陽明は、儒教の民間浸透という趨勢に棹をさした人物として特記される。

彼は孝悌慈の道徳感情が、すべての人の心に具わっているということを前提とし、それを純粋無作為に発露することを第一要義とし、朱子学の主敬静坐や読書究理の方法に代えて、事上磨錬、致良知を説いた。そして、経済的変動が里甲制秩序を動揺させはじめた当時の郷村に、太祖の六諭――父母に孝順にし、長上を尊敬し、郷里に和睦し、子弟を教訓し、各々生理（生業）に安んじ、非為をなすなかれ――を主軸とした郷約（郷村秩序の規約）を広めることに努めた。

王陽明のこれらの活動は、郷村・城市に道徳的連帯の環を多重的に形成しようというものであった。その連帯の環は、孝悌慈の血縁的な道徳感情を中心に、「万物一体の仁」へと拡大されていくものであったが、しかしそれは精神運動の域を出ず、道徳共同体としての組織的紐帯をもつには至っていなかった。

人々の道徳的連帯感情にとって組織的な紐帯となったのは、地縁的な郷約のつながりであり、血縁的な宗族のつながりである。

郷約運動は、清の順治帝の六諭の頒布、郷約の推進に始まり、康熙帝の聖諭十六条[6]、雍正帝の聖論広訓が郷約宣講のために勅撰せられるなど、官制の運動として上から広められ、そのため形式に流れる傾向なしとはしなかったが、中国各地に広められるという効用もあった。例えば康熙二十三年（一六九三）刊の安徽省休寧県志によれば、休寧県には当時総計二六九所の郷約所が設置されていた。休寧県の戸数は、この県志によれば、崇禎十五年（一六四二）の時点で四万四〇〇〇戸弱であったから、それを基準に大ざっぱに考えて、平均して一七〇―九〇戸に一つの郷約所があったと推定される。

この郷約共同体に対して、より自発性の高い血縁共同体が宗族である。宗族制は古代中国からすでに形成されているが、同じく血縁共同体といっても、その形成の社会的目的には相違があり、従来の研究によれば、唐以前の宗族結合が門閥・顕族による政治支配の維持を目的としたのに対し、宋以降のそれは血縁間の利益共同化を目的としたという差異が見られ、宋以降でも、とくに明清期以降に見られる顕著な特徴は、宗族成員に対する道徳教化、例えば族譜のなかに大量の宗規・家訓の類が編入されている、ことだといわれる(7)。

われわれが礼教の温床と見なそうと考える宗族とは、このような明清の宗族であり、この宗族の形成に一つの画期となるのが、庶人にも始祖を祭ることを認可するように求めた嘉靖十五年（一五三六）の有名な夏言の上奏である(8)。

これがきっかけとなって、始祖を祭ることが徐々に一般化し、宗族の形成にいっそう拍車がかかることになった。

では彼らを共通の始祖のもと、血縁を紐帯に結びつけた共通の理念とは何であったか。それは、木には根があり、川には水源がある。先祖を祭る日は、あたかも先祖と子孫が一堂に集まったようだ。蘇軾《そしょく》が言った、この光景を見れば、孝悌の心が溢れるように湧いてくる、と。このことから明らかなように、祖先は子孫と同一の気を共有している。……思うに、村内の隣人や友人たちに対してさえ救済の手をさしのべるのであるから、まして同族の者に対してはいうまでもない。同一の宗族のなかでも家系に大小や遠近の差異が生じていくが、始祖から見れば、すべてが同じ血を分けた子孫である。……同族の貧困者に対してどうして無慈悲でありえようか。(9)

に典型的に示されているように、同族間の相互扶助と相互繁栄である。

この場合、留意すべきことは、

同じ祖先をもつ家系にも、富貴の家系が一つあれば、必ず数系の貧困家系がある。これは祖先の恩沢に厚薄の差がある、というのではない。気が充満しているか否かにかかわって、へこんだ状態からふくらんだ状態になり、あるいはこちらが盛んになればあちらが衰える、というのが蓋然的な推移である。自分が今幸いにも富貴であるからといって貧賤者のことを忘れてはならない。富貴には限りがあり、不変の状態というものはないのだ。(10)

とあるように、同一宗族のなかに貧賤・富貴が混在していること、およびその貧富・貴賤が流動的であること、という二つの認識が相互扶助の前提になっていることである。

この同族内における貧富・貴賤の混在と流動性は、非世襲の科挙官僚制と財産の均分相続制、士農工商の身分不固定といった中国の近世社会の特質に由来し、明清の宗族制はまさにこの特質を背景に成立したものである（7「二つの近代化の道」参照）。

この中国近世社会の特質は、ヨーロッパの中世社会、日本の近世社会が、ともに階級の世襲制と長子相続を柱とし、その結果、一家一家の貧富・貴賤が基本的に固定的であり永続的であり、そのため相互扶助よりは、「家門」「家業」「家産」といった私家一家の私有領域の不可侵と維持に人々の意が注がれてきたのに比べて大いに注目されてよい。この場合、日本において一般庶民の間で「家」といえば、祖父母―父母―子の三代限りで、子の立場からは父母の兄弟姉妹およびその子までが親族であり、祖父母の兄弟姉妹となるとその名も知らないという状況であるから、厳密に親族間の横のつながりといえば父母―子の二代の範囲内のことでしかない。このため相互扶助の「公」倫理は日本では発達せず、逆に私有財産意識が伝統意識となった。このことはおそらくヨーロッパ社会にもほぼ該当することであろう。

ひるがえって中国近世社会に目を転ずれば、非世襲制であるがゆえの身分上下の流動性、均分相続であるがゆえの貧富の流動性、さらに自然災害や動乱に伴う移住、経済活動に伴う移動などの居住地の流動性がこれに加わり、この流動ただならぬ中国社会にあっては、地縁紐帯としての郷約、血縁紐帯としての宗族は、社会の平安をもたらすための知恵ある選択といえるものであった。

とりわけ貨幣経済が進行し、経済活動が活発になった明代後期から清代にかけ、かつ人口が急速に増大しはじめた清代中期以降にかけ、郷約活動や宗族活動が盛んになったのは、時宜にかなったことといえる。

逆にいえば、そのような歴史条件、社会条件を背景にしていることが、郷約や宗族の活動内容に限定を与え、それがすなわち六諭―十六諭―聖諭広訓および族譜の家訓類に見られる上下秩序、相互扶助の倫理であり、つまりそれがわれわれのいわゆる礼教なのである。

近世中国の社会倫理

ではこの礼教の、上下秩序、相互扶助の倫理はどのような内容であるか。『聖諭広訓』のうち、とりわけ王又樸の白話による講解本[11]で、上下秩序に関係のある第一条「敦孝弟以重人倫」を見てみる。

この条は前半で孝、後半で悌を講解しているが、まず孝の内容を見てみると、

> 自分の食を減らし、自分の持物を減らしてでも、むしろ父母に食べさせ父母の用に供し、父母に代わって労を背負わねばならない。賭博や飲酒にふけったり、他人と喧嘩をしたり、こっそりと自分だけのために小金を貯めたりしてはならない。また、自分の妻子ばかりを可愛がり父母を顧みない、ということがあってはならない。……たとい毎日質素な食事でも、父母に心楽しく食べてもらう、これこそが孝順というものである。

など、孝によっていかに自己犠牲的に親を喜ばせるかを具体的に列挙しながら、しかし一方では、

たとえば古の人のなかには、凍った池に身を横たえた（氷に穴をあけて親のために魚を捕った）人、（親の病気を癒すために）自分の股の肉をそいだ（親の薬とした）人、（貧乏で食物もなかったため、親の食物を確保するために）子供を穴埋めにしようとした人がいるが、こんなことはまねのできることではないし、また必ずしもこうしてこそ孝だというわけでもない。ただ常に父母の

ことを自分の念頭においていればよいのだ。

と述べ、割股や『廿四孝図』の非人間的な孝に対しては、必ずしも賛同しない。

悌に関しては、

兄弟というのは二人の別々の人間というのではなく、一方の骨肉は他方の骨肉であり、だから兄弟は手足と同じだといわれる。もし君が自分の兄弟に無情であったらそれはつまり父母に対して無情ということだ。

兄弟の不和はすべて財産争いから始まるが、これはすべて妻の言い分を聴きいれるからだ。この妻たちの言い分というのは道理からはずれたものだ。

兄弟が不和であれば、父母は必ず腹を立てる。お前も、自分の子供たちが喧嘩しているのを見れば、心中穏やかではあるまい。だから孝子たる者、絶対に兄弟不和であってはならない。

と、言辞を尽して、兄弟が親和するよう説き聞かす。結局、孝悌は主要には肉親間の親和を説くものであって、必ずしも父子長幼の上下秩序だけを説くというものではない。

とくに兄弟間の親和は、現実社会では財産相続上の争いが父子間よりも兄弟間に多く生起するだけに、いっそう重視された。

ちなみに徽州《きしゅう》文書中の財産の父から子への分割相続の証書を見てみると、

今くじ引きで財産分けをした以上は、くじ引きに従ってそれぞれの財産を管理し、異議を称えてはならない。また、強者であることに依拠して弱者を軽侮したり、年長であることによって年少者を虐げてはならない。私は希望する、わが二人の息子たちがいそいそと謹んで家訓に遵《したが》い、兄弟が気を同じくしているという特質を発揮し、手足の関係を傷つけないように、と。もし背くことがあれば官に訴えて不孝の罪で処罰してもらうであろう。(12)

　今私は七十三歳、年をとって家産の管理も十分にできなくなり、やがてお前たち兄弟の間で遺産争いが生ずることを懸念する。そこで……田地や家屋や生業を、……香を焚いて天に祈り、くじを引いて財産分与を決めたい。兄弟各自が財産分配の決定に従い、永遠にその決定を守って異心を起こさないようにしなさい。先祖が財を創成した頃の艱苦を偲び、勤労と節倹に励んで先祖の業を守り続けなさい。お前たち兄弟は、手足の関係のように仲良くし、孝悌を尽し、この財産分与の決定に従うべきである。もし頑迷にも従わない者があれば、同族内に公表して裁きをつけ、不孝の罪によって処罰する。(13)

などの事例が頻見できる。ここでは兄弟が親から相続した財産について争い、それを維持できなくなることが不孝とされており、裏返していえば、親の願いに応えて兄弟が親和することが孝の眼目とされている。

　この家産分割文書を閲覧して気づくことは、兄弟間の長幼の序が下の上に対する一方的な恭順だけをいうというものではなく、往々相互的なものとされていることである。たとえば、

　財産を分与した今日以後は、兄弟各自が各自の財産を管理し、境界を超えて占取したり、隙をうかがってつけ込んだりして争い事を招いたりしてはならない。……各自が謹んで父親の創業の苦難を思い返し、謹んで、父親の業を守り発展させることの困難さを心に刻みつけるべきだ。年少の者は年長者を敬《うやま》い、上位者の地位を犯してはならない。一方、年長者は年少者を慈

しみ、下位者を暴圧したりしてはならない。このようによく仲睦じくすれば、財産は分割されても（同族が気を同じくしているという）道理は一つであり、枝は分かれても根っこはますます強固になる。

とあることにうかがわれるように、成年に達した兄弟の間の「越界混佔（境界を越えての占取）」「反覆覬覦（隙をうかがってつけ込む）」の虞れは、下の上への服従という構図だけでは決して解消しない。それどころかそのような上の専横こそ「越界」の原因になりかねない。したがって親の立場からは、「干上（上位者の地位を犯す）」「陵下（下位者を暴圧する）」をともに「不孝」と断じ、兄弟間の事実上平等な相互親愛を期待する、ということになる。

この家産分割文書というのには、『聖諭広訓』に色濃く見られる王朝為政のための教化のイデオロギーとか、族譜の家訓にもないとはいえない抽象的な理念や教条とかの臭味はあまり感じられず、むしろ父祖伝来の、あるいは自分が困苦のうちに築いた家産への愛着、それが子孫の手に平穏に継承されていくことへの当事者の願望が、文面に滲みでており、当時の生活感情の実態に最も近い資料の一つといえる。

この文書から、われわれは、孝悌の内容として、「兄弟友愛」「同心協力」が中核の要素となっており、かつそれに伴い「倚強欺弱（強者であることに依拠して弱者をあなどる）」「以長凌幼（年長者であることによって年少者を圧する）」「恃強凌弱（強者であることを恃《たの》んで弱者を圧する）」「恃衆暴寡（多数を恃んで少数者を暴圧する）」が強く戒められ、総じて弱肉強食の争いが否定されている、という実態を察知できる。

こういった兄弟間の実質的な平等・相互関係というのは、日本の近世にはまったく見られないことも併せて知っておく必要がある。

日本では、長子だけが親の財産を継承し、次子、三子は、例えば農民であれば、分家をするか、他家の養子になるか、あるいは都市に出て商家で住み込みの使用人として一生働くか、あるいは職人の親方の下で技術を習得して職人として自立するか、しかない。

ちなみに江戸時代の『商家見聞集』という商人の家についての勧善書の一種を見てみると、兄弟関係の訓戒として、兄は親の財産事業を受け継ぐ者であるから、弟は兄を親同然と見なし、同じ家で働くときは兄弟というよりは弟は兄の使用人の一人と心得て働き、節約してその給料を貯め、将来は別に店を出すように努力すべきこと、または他の商家で使用人として働くか他家の養子となるにせよ、親兄弟に世話にならぬよう努力すべきこと、など次子・三子らへの教誡が記されている。長子相続の日本では、「兄弟友愛」が提唱される社会的基盤が存在していなかったのである。

中国近世のこういった「兄弟友愛」および同族間の相互扶助は、日本やヨーロッパと比べてきわだった特徴となっている。

とくに後者の相互扶助については、まずその扶助が、

同族の者が仲睦まじく親和し、卑賤者や年少者が上位者の地位を侵犯してはならないのはもとより、たとい尊貴者や年長者であってもその尊貴を恃んで卑賤者を暴圧してはならない。もし富貴を恃んで貧賤者をないがしろにしたり、強者や多数者であることを恃んで弱者や少数者を暴圧する者があれば、宗長が彼らを責め、祖先も彼らを嫌悪するであろう。(14)

とあるような規範意識の相互性の上にあることも、確認しておきたい。

この相互扶助の内容は、前掲の『中国宗族社会』に詳しいが、例えば族田（宗族の共有田）の養《よう》贍《たん》対象を江蘇金匱安氏が万暦年間に定めた義田（宗族の共有田）の「贍族条件（同族の族人を扶養する条件）」で見てみると、「族人のなかの老衰者で家に財産もなく生活を営むことができない者」「族人のなかの寡婦で、子供がいないかまたは子供が幼く、貧窮のため生活が営めない者」「族人のなかで家族に死者が出ても貧しくて葬式が営めない者」「族人のなかで病に臥《ふ》し危篤状態であるのに、貧しくて医者にもかかれず、薬も買えない者」「族人のなかの息子たちで、学問が好きで才能もあるのに家が貧しい者」等の七種で、弱者、貧者で自弁できぬ者、および学資を必要とする者が対象となっていることが分かる。

このうち学資の援助は、一族繁栄のための投資といえるが、それ以外の生活援助は貧者・病者らへの一方的な援助で彼らからの見返りは期待できない。しかし一見一方的に見えるこの援助も、先述の貧富の流動性という中国社会の特質を背景に考えてみると、自分および自分の子孫の貧困時への一種の保険になっていることが理解できる。つまり宗族自体が、長い時間サイクルで見た場合、一種の保険共同体になっているのである。

このように見てくると、礼教というものの実像が、「礼教」とはかなり異なったものとして映じてくるであろう。

まずそれは、時代的に明代後期から清代および民国期にかけて形成されていた、つまり経済的な流動性の高まりを時代背景として形成されていた、という時代的特質をもつ。これは、民国期の

「礼教」批判がもっぱら古代の事例を挙げてなされていることを不妥当とするものである。

次にこの礼教には、主に民間の生活秩序を維持するため、民間の手で広められたという一面があり、王朝や官の教化目的に沿って広められた一面はむしろ副次的な要素と考えられる。これは前掲の家産分割文書や族譜の家訓類に、王朝の政治イデオロギーの影が薄いことを根拠にしていうことである。このことは、

儒家は孝悌の二字を二千年来の専制政治と宗族制度とが連結する根幹と見なしている。……中国の礼教の立場に立っていえば、『論語』の「孝梯は上位者の地位を犯さず、また反乱を起こさないための根本道徳である」という一句が最も重要な教条と見なされる。……君主は人民の父母に当たる。孝倫理が確立してこそはじめて忠倫理がそれに依附できる。(15)

という、王朝専制の土台としての孝弟倫理という面をとくに強調する見方、この今でも日本の近現代思想研究者の間に一般的な見方に対して、再検討を迫るものである。

三つ目に、礼教には、呉虞が上掲の論文で指摘するように、「父母が存命中に息子たちが父親の財産を分割し両親と別居すること。父母が死亡して喪中であるのに結婚式を挙げる者」を「不孝」として刑罰の対象としたり、あるいは貞節の表彰などによって寡婦の再嫁を倫理的に抑制したり、あるいは尊卑の階層によって刑罰の軽重が不平等であったりするなど、個人本位あるいは個人の自由、平等という観点から見て抑圧の体系と見なされる面が確かに多い。

しかし礼教の実像に迫ろうとするに際して、注意すべきことは、刑律や家訓の類は往々礼法のタテマエを伝えたもので、必ずしも民間の実生活そのものではない、ということである。

たとえば、ある宗族の宗規によれば、寡婦で再嫁を願う者は、自己の全財産を婚家に遺し、深夜に誰にも姿を見られないように家を出、二度と戻ってきてはならない、とあるが、再嫁を容認しないこのタテマエは、再嫁を欲する者にとっての実質としては、深夜に持参金や首飾りなど金目の品を抱えて「誰にも見られないように」こっそりと家を出る自由が与えられていることを意味する。そこでわれわれは礼教の実質を知るためには、民間文書や裁判文書などを通して多くの事例に接する必要がある。

例えば清末の陝西省の事例で、婚家で姑との折り合いが悪く虐げられている嫁が、離婚を求めてその父に依頼して裁判を起こした。その判決は、

お前（姑）と賈（嫁の父親）とは折合いが悪く、数年にわたって訴訟を起こし、仇敵同士のように関係が悪化している。お前は一方で嫁の父親を恨みながら、一方でその嫁に自分に孝行をさせ夫を敬まわせようとしているが、天下にそんな道理はない。……すでに嫁が不孝であって「七出」（嫁を離縁する七つの条件）の（舅姑に仕えないという）一条に違反している以上、嫁を追い出すほうが気分がいいというものだろう。であるのに、お前は離縁しようとしない。それは嫁と和解しようとしてではなく、彼女を深く恨み、彼女がいい家に再嫁することを恐れ、それよりは彼女を離縁せず一日中いじめつづけ、自分の恨みをはらしてやろうと思っているからであろう。(16)

というものであった。この事例では嫁は決して迫害に耐えていないか、または決して従順ではないこと、離婚だけではなく場合によってはよりましな相手との再婚が期待できること、そして「七

出」という抑圧の体系がここでは却って嫁に自由をもたらしていること、などの実質を知ることができる。

また別の事例に、李貴娃なる男が傭工を雇ったところその傭工が李の母親と肉体関係を結び、息子への遠慮からか、二人はついに出奔してしまった。そこで李は二人を追いかけ、傭工と争ううち相手を殴殺してしまったという事件がある。この事件の判決は、

母親が淫乱であることに子が憤慨するのは義であり、母親が逃亡したのを子が追跡するのは孝である。……傭工の身分で主人の母親を姦し、姦夫であるうえ誘拐者でもある。また姦夫・誘拐者でありながら追手に手向かう賊でもある。こんな輩が耳のつけ根に傷を受け（殺され）たとしても、それは人力によるかに見えて実は天道によるものである。……貴娃は孝であるうえ、さらに義であって、功績こそあれ罪はない。[17]

というのであった。この事例では、李の母と傭工との恋愛、それを許容できない独身の若い息子の潔癖に、ついに出奔にまで及んだおそらく中年の男女の熱愛、という恋愛のドラマが印象的だが、ここでは寡婦の母親の性愛に対する若い息子の屈折した反発心が「孝義」とされている。

おそらく礼教の規範の裏には、これらのドラマが幾層にも堆積されているにちがいない。したがってわれわれは、礼教の実像に迫るというときには、文章化された規範の世界だけでなく、その規範の下に堆積されている諸事例をも視野に入れ、その諸事例から規範を見る視点も持たなければならない。

結局、われわれのいう礼教とは、明代後期以降の中国民間社会の実態の上にかぶせられた孝悌の

網目であるが、この網目は、上下秩序を規範とする縦糸と、相互友愛・相互扶助を実質とする横糸によって紡がれたものである。

私は、この規範としての上下秩序と実質の相互扶助という両面を、次の二つの目的に分化して考えてみたい。

(一) 組織設立の目的：相互扶助すなわち、(イ)老幼病弱者などの救済、養護、貧窮者の援助等の福利厚生、集団保障、(ロ)将来の不安を解消するための相互保険機構の役割。

(二) 組織維持の目的：上下秩序すなわち、(イ)名望有徳者による道徳を基本とした秩序、(ロ)輩行、排行によって序列づけられた長幼の秩序、(ハ)同一の祖先を中心とした血統上の一体感にもとづいた孝悌倫理。

これまで見てきた実質としての相互扶助は、それを実現するために組織を設立する、その組織にとっての目的であるのに対し、規範としての上下秩序とは、その組織を永続的に維持発展させていくために考え出された一つの秩序メカニズムである。

相互扶助を目的に組織された組織体が、宗族的すなわち祖先を同じくする血縁的な組織であるというその特質が、孝悌倫理、長幼の序、有徳者による「人治」などのいわゆる宗法秩序、家父長制秩序を生みだしたのであり、この秩序は、相互扶助という組織体の目的からいえば、手段として位置づけられるものである。

したがって、この家父長制孝悌秩序を宗法社会の唯一の本質のように描くならば、宗族が目的とした相互扶助、相互保険というもう一つの基本的な部分が見失われることになる。なお、最近目にした章毅「伝統郷村政治権力的結構功能与郷村動乱」[18]は、国家権力が地方社会に対して欠いていた社会保障、公共福利の部分を、中国南部では宗族的結合により、また中国北部では宗教結社——章氏によれば、明清期の民間宗教の主要な一九教派のうち一三教派までが河北・山東省などの北方中国を発源地とする——によって、それぞれ補完する役割を果たしたとしている。傾聴すべき見解である。日本でも法制史、歴史学、文化人類学の分野で、宗族内における相互扶助の様態はつとに指摘され、今後いっそう全体像の解明が進むものと期待できる。

礼教と革命

一方、日本の中国近現代思想史研究は戦後、豊富な実績を残してきたが、この分野では、礼教については、もっぱら『新青年』の「礼教」観を踏襲している。例えば野村浩一氏は『近代中国の思想世界』で、陳独秀や呉虞の「礼教」批判の言説を踏まえて、次のように叙述している。

中国は、その社会構造において、宗族制を根幹とする家父長制的性格を保持してきた。[19]その思想構造において、父子・長幼関係を絶対視する儒教的規範と礼とを優越させてきた。[19]（旧文明世界は）そこに生きる人々を宗族、家族の名のもとに抑圧と従属、相互依存と依頼の体系へと囲いこむものであった。[20]

ここで「父子・長幼関係を絶対視する」というのは、前後の文脈から「孝順」すなわち「不犯上（上位者の地位を犯さない）」の恭順倫理・上下秩序倫理を絶対的なものと見なす、との意味であり、それが野村氏によって「礼教」の本質と見なされている。そしてその「礼教」が「抑圧と従属、相互依存と依頼の体系」のほかならない、とされている。

ここで、「相互秩序と依頼の体系」とは、陳独秀に、

今日の文明社会の組織から判断すると、宗法制度には四つの悪い点がある。……第一は、他人への依存心を助長し、個人の生産力を害う。夫の嫁たちが同居し、告げ口や悪口を言いあい、依存心が形成され、生産は日とともに衰微する。……兄弟の間はおおむね財産共有制で、もし互いに扶養しあわなければ必ず世間から譏《そし》られる。……このため扶養される弟たちは遊惰が習性となり、家庭や社会に少なからぬ害を及ぼす。(21)

と評された、同族間の相互扶助体系を踏まえたものであることは言うまでもない。つまり野村氏において、同族間の「共産」や相互扶助は、「文明社会」の基準から見て、個人の活力、生産力を阻害するものとして、あらかじめ否定的な評価が与えられているのである。

このように『新青年』の「礼教」観をそのまま礼教自体と見なす「封建」礼教観は、野村氏に限らず、日本の近現代中国研究者の間に広く一般的に見られることである。

この観点に立った人々は、革命中国が「封建」礼教——すなわち皇帝専制を下で支えた宗族・地主支配の「抑圧と従属」の体系——をその根底から覆した、と見なし、革命中国の下からの徹底した変革に賞讃を惜しまなかった。

そしてまた、この観点に立った人々は、文革後に露呈された毛沢東個人崇拝やそれを助長した「人治」思想を知ると、「臣従と衆愚、前近代への逆行」「儒学、官僚主義、そして皇帝の専制支配

など前近代の伝統……が決して終わっていない[23]」「(中国革命は) 伝統と醜く癒着して儒教的社会主義に行きつき、悲劇的に挫折した[24]」などと、その儒教的伝統、すなわち「封建」礼教の残存により、革命が「挫折」した、という見方をとるのである。

礼教は、日本では、それが「礼教」であるがゆえに、革命のあるいは「文明」の障害物であり、革命や「文明」によって掃去されるべきものであり、それが残存しているのは、革命や「文明」にとっての汚点である、と見なされてきたのである。

一方、日本の明清思想の研究者は、朱子学を礼学と同一視し、それを非人間的で固陋な規範の学であると見なす一方、陽明学を内面世界を発露する自由な精神の学と見なし、この陽明学が礼教の壁を破れないまま、ついに明末に「挫折」し、清代礼教の暗黒時代が続いた後、民国期に入って激越な反乱教運動を生起させた、という見方に立つのが通例である[25]。

ここでも礼教は、あたかも中国の近世を暗黒の世界に閉じこめ、西洋近代文明の受容を阻害した元凶であるかのように見なされている。

このような礼教観が日本の中国研究者の間に一般化しているのは、『新青年』の「礼教」観の影響にもよるが、理由は決してそれだけではない。

一つには、日本人が明治維新以来、西欧近代文明を先進とし、中国の近現代社会の様相を後進とする視点に慣れていたこと、もう一つには、日本の明治以降の近代主義的知識人自身が、陳独秀らと同じく、日本の家族制度、農村の地縁的共同体などを封建的遺制と見なし、個人の主体性、自我の尊重などを「文明」価値と見なしてきたこと、さらにもう一つに、第二次世界大戦時の天皇制的・全体主義的ファシズムの経験が、戦後の日本知識人に、国家・社会・集団への献身や社会道徳とか自己犠牲、共同体的連帯などの諸価値に対する懐疑や嫌悪感を抱懐させていたことなど、総じていえば、日本の近現代の軌跡のなかに、礼教を「礼教」と見なそうとする自発的要因が伏在していた、のである。

そこでわれわれは、中国の礼教を見る場合に、二つの視座を必須の前提とすることになる。

一つは、「礼教」や日本の近現代の軌跡など、ある歴史価値に色づけられたレンズによって礼教を見ないこと、二つには、中国の礼教を、明・清・民国・革命中国期を通じて、それぞれの時期のなかに置き、それぞれの多彩な層面をそれぞれの時期の目で見るよう努力すること、である。

この視座に立つとき、民国期の礼教観として参考になるのが梁漱溟の東方文化観、伝統倫理観、すなわちわれわれのいわゆる礼教観である。

彼については、別に専論を書いたので（次章）、そちらに譲ることとし、ここで本稿に必要なかぎりでの要点を、彼の主張するところによって整理すれば、中国の伝統倫理の特質は次の六点である。

(1) 相互扶助の尊重
(2) 生存競争への不適応
(3) 私（私房の利益）の否定、公（同族共同の利益）の尊重
(4) 多数決の否定、賢者の指導
(5) 法よりも道徳の重視

(6) 権利の主張よりも相互義務関係の重視

梁漱溟の伝統倫理観が、どこまで礼教の実態に迫っているかについては、今後の礼教研究に俟つ必要があるが、この六点がその特徴を表面的にせよ捉えていることは、大方の同意できるところであろう。

とすれば、これらの特徴が、革命中国の社会規範、社会慣習、社会通念のなかに、変容を遂げながらも継承されていることも、また同意されるところであろう。

かつて私は、儒教のなかの政治・経済思想、すなわち大同の公思想、「均」をめざす田制論の蓄積などを中国社会主義の思想上の伝統基盤とした[26]が、それ以外に、上のような規範意識、習慣、通念のなかにも儒教的倫理が継承されていたことが知られる。

今後、われわれが礼教と革命中国について問題とすべきことは、伝統を継承することによって成功をした中国革命が、その伝統によってどういう制約を受け、その制約が現在どのような矛盾を生みつつあるか、を革命中国期について検証していくことである。そのためには、われわれは十六世紀から現在までの四、五百年間にわたる長い時間視野と、多角的・多層的な空間視野によって、このように多面的で複雑なその実態に対して考察を加えていく必要がある[27]。

（1）「処置平復地方以図久安疏」『王陽明全集』巻一四、別録六、上海古籍出版社、一九九二年。
（2）高一涵「国家非人生之帰宿論」『青年雑誌』1巻4号、一九一五年。
（3）陳独秀「吾人最後之覚悟」『青年雑誌』1巻6号、一九一六年。

（4）『新青年』6巻6号、一九一九年。
（5）陳独秀「東西民族根本思想之差異」『青年雑誌』1巻4号、一九一五年。
（6）聖諭十六条（康熙九年〔一六七〇〕に発布）は以下の如くである。
第一条 敦孝弟以重人倫 第二条 篤宗族以昭雍睦 第三条 和郷党以息争訟 第四条 重農桑以足衣食 第五条 尚節倹以惜財用 第六条 隆学校以端士習 第七条 黜異端以崇正学 第八条 講法律以儆愚頑 第九条 明礼譲以厚風俗 第十条 務本業以定民志 第十一条 訓子弟以禁非為 第十二条 息誣告以全善良 第十三条 誡匿逃以免株連 第十四条 完銭糧以省催科 第十五条 聯保甲以弭盗賊 第十六条 解讐忿以重身命
聖諭六訓は雍正二年（一七二四）に、この聖諭を演繹して作られたもので、朝廷の学者たちによって文語文で書かれたが、のち王又樸（介山）のようにそれを口語文でしるす者も出てきた。
（7）馮爾康等著『中国宗族社会』浙江人民出版社、一九九四年。
（8）小島毅「嘉靖の礼制改革について」東洋文化研究所紀要第一一七冊、一九九二年、井上徹「夏言の提案」『中国の宗族と国家の礼制』第四章、研文出版、二〇〇〇年、参照。
（9）乾隆『丁氏族譜』、睦族説。
（10）光緒『丹陽花園文昆陵石氏宗譜』第二、格言、宣量力贍族。
（11）『近代中国史料叢刊』続輯61、台湾文海出版社、所収。
（12）『徽州千年契約文書』清代巻八、乾隆黟県胡氏鬮書彙録、之六七。
（13）同右、注（11）三四〇。
（14）道光『江都卞氏族譜』巻三、卞氏宗祠初定条約。
（15）呉虞「家族制度為専制主義之根拠論」『青年雑誌』2巻6号、一九一七年。
（16）『樊山政書』巻七、批長安監生童遇祥稟詞。
（17）同右、注（15）巻一一、批高陵県稟。

(18)『中国研究』I－5、一九九五年八月。
(19)野村浩一『近代中国の思想世界』三ページ、岩波書店、一九九〇年。
(20)同右、注(18)、三六一ページ。
(21)陳独秀「東西民族根本思想之差異」『青年雑誌』1巻4号、一九一五年。
(22)毛里和子『現代中国政治』二四二ページ、名古屋大学出版会、一九九三年。
(23)同右、注(21)、五ページ。
(24)同右、注(21)、二九七ページ。
(25)溝口雄三・村田雄二郎・伊東貴之『中国という視座』平凡社、一九九五年、参照。
(26)「儒教資本主義と儒教社会主義」『方法としての中国』所収、東京大学出版会、一九八九年。
(27)一九九二年、九四－九五年の福建省安渓鳳城・鎮の渓村に対する社会調査によると、ここは人口約三七〇〇人中九〇%以上が陳氏である同姓村であるが、この村で運輸・建築などの事業を起こす資本は親族間で集められているという。また、そういった出資金の調達だけではなく、三〇戸を対象とした社会互助制度についてのアンケート調査によれば、八六%が堂親（同姓の親族）および姻親間の相互扶助に頼っている、とのことでもある（王銘銘「宗族、社会与国家――弗里徳曼理論的再思考　附録：福建渓村的宗族個案」『中国社会科学季刊』（香港）秋季巻、一九九六年八月）。

9　もう一つの「五・四」

数奇な軌跡・梁漱溟

ここで、もう一つの「五・四」というときの「五・四」とは、一九一九年五月四日のあの事件全体の局面を指していうのではなく、のちに毛沢東によって新民主主義革命の起点として位置づけられた、つまり歴史的に中国革命と関連づけられ、内容的に反帝・反封建の運動と規定された、あの教科書どおりの「五・四」をいう。そこで、ここでいう「五・四」は、のちにマルクス主義に傾き、中国共産党の創立にもかかわることになった、陳独秀（一八七九―一九四二）・李大釗《りたいしょう》（一八八八―一九二七）らに代表されるお定まりの軌跡をもっぱら指し、民国期を彩った他の諸々の思想・文化の活動は捨象されることになる。

では、「もう一つの」とはどのような軌跡を指していうのか。中国革命に到達することを暗に前提とした右の位置づけと内容に限定すれば、それはもはや胡適（一八九一―一九六二）らのような、のちに中共とは対立的な道を歩んだ人士の軌跡ではありえない。

それは、実は、大方に意外と思われるであろう梁漱溟《りょうそうめい》（一八九三―一九八八）の軌跡である。つまり、本稿では、かつて陳独秀からは「禍国殃民、亡国滅種の議論を提唱する」[1]者と非難され、毛沢東からは「偽君子」[2]と面罵され、やっと最近になって、たとえば「最後の儒家」[3]などといわれて評価が改められつつある梁漱溟の思想営為を、基本的には陳独秀・李大釗らと同一の路線上に並びながら、しかし対立しあったもう一つの中国革命の軌跡として、位置づけようというのである。

この梁漱溟については、これまで多くの人によって種々の立場や角度から論ぜられており[4]、その生涯の足跡も紹介されてきているのだが、ここではこの行論の主旨に沿うかたちで、その略歴を、彼の自述するところの従って、年表ふうに記しておく[5]。

一九八三年、毛沢東と同年に北京に生まれる。名煥鼎、字寿銘、のちに又字漱溟。祖先は元朝の宗室。父は清朝に出仕し、内閣中書、侍読を歴任。

一九一一年（十九歳）順天中学堂卒業。「私は十六、七歳の頃に、すでに西方とりわけイギリス式の民主政治制度にあこがれ、中国も必ずこれに倣《なら》うべきだと信じ、そのことから一九一一年の革命に参加した[6]」。この間、彼は「北京日報」「順天時報」「帝国日報」「中報」「新聞報」「時報」などの新聞を毎日読み、また、立憲派の「国風報」や革命派の「民主報」も取りよせて読んでいた。そして、この翌々年、家のなかで偶然見つけた中文訳、幸徳秋水著『社会主義之神髄』を読み、「社会上のいっさいの罪悪の根源は財産の私有にある」と認識するに至った[7]。

一九一六年（二十四歳）「究元決疑論」を発表。財産私有欲の問題がきっかけになったのか[8]、二十歳以降、仏典に専心した成果がこの論文である。なお彼は、二〇年にそれを放棄するまで、出家の念を抱いていた[9]。

一九一七年（二十五歳）蔡元培の招聘で北京大学で印度哲学の講座を担任。陳独秀、李大釗も相前後して同僚となる。「この頃はちょうど五・四運動の前後にあたり、新思潮が高漲して、まわりはとても東方の古い学術を講じていられる雰囲気ではなかった。こういった情勢のなか、私は東西文化の比較研究を始めた。のちにその講義記録を整理して成ったのが『東西文化及其哲学』である」[10]。

一九一九年（二十七歳）五・四に対する本人の述懐。「五・四運動は新思潮運動、新文化運動であり、その発端を開いたのが陳独秀、胡適であり《新青年》である」「胡適はアメリカ帰りで、当時の北京大では一頭地を抜いた人物であった。……しかし当時の往き交いのなかで感じたことだが、新文化運動の精髄としての新人生、新思想となると、それは彼には具わっておらず、真正に旧社会、旧道徳に立ち向かって勇猛に進攻し、局面を切り開き、大なたを振るって青年を前方へと導いている人士といえば、まず誰よりも陳独秀、李大釗、周樹人（魯迅）らの諸君であった」[11]と。

一九二〇年（二十八歳）以後、儒家思想に転ずる。

一九二一年（二十九歳）『東西文化及其哲学』を商務印書館より出版。

一九二四年（三十二歳）北京大学を退職。

一九二七年（三十五歳）本人の述懐。「周知のように、中国共産党を創始した指導者は陳独秀・李大釗両先生で、一時は南陳北李の称があった。一九二七年の春のある日のこと、私は東交民巷の旧ロシア大使館に守常（李大釗）を訪ねたところ、部屋中、面会を求めてやってきた青年達の来客でいっぱいで、守常はその応待に大わらわだったので、邪魔にならぬようすぐに退出した。彼が家族ともども逮捕されたと聞き知ったのは、それから旬日ののちのことであった。……守常が刑死するに及び、家族は釈放され、朝陽里の旧居に戻ったという。……その旧居にかけつけると、守常の子葆華が声もなく突っ立ち、泣きもせず一語も発せず、一方その母はベッドに哭き伏したまま起き上がることもできなかった」[12]。この年以降、「郷治」運動を始め、各地を遍歴。

一九三〇年（三十八歳）『中国民族自救運動之最後覚悟』を『村治月刊』に発表。

一九三一年（三十九歳）山東省鄒平県に「山東郷村建設研究院」を設立。以後、郷治、村治の呼称を郷村建設に改める。

一九三六年（四十四歳）三二年以来の研究院での講話を輯《あつ》めて『郷村建設理論（一名『中国民族之前途』）』を鄒平郷村書店より出版。

一九三八年（四十六歳）三七年以降、延安に中央委員会を置いていた中国共産党を訪問。本人の当時の述懐。「延安で最も多く対談した相手は毛沢東先生であった。前後あわせて八回。宴席と臨別の二回を除く他の六回は、毎回時間が長く、短くても二時間、最長は徹夜して夜明けまでというのが二回[13]」。晩年の回憶。「議論が新中国の建設の問題から、溯って旧中国社会に及ぶと、双方とも言い張ってやまず、見解のくい違いも大きかった。争点は階級問題であった。私がずっと以前から考えてきたところでは、旧中国社会は、とくに明清両代の数百年以来、貧富貴賤は上下流転し、階級分化の現象も不明瞭で、……西洋の中世のように、地主が領主として農奴に対し、あるいは近代資本家が労働者階級に対峙する、といった形勢は、中国には存在しなかった。しかし毛主席はこれらを理解せず、最後には、私が中国の〝特殊性〟を過大に強調し、その西方社会とも共通する〝一般性〟をおろそかにしている、といった。そこで私は、彼こそ中国社会の〝一般性〟を過大に強調し、中国社会の〝特殊性〟をないがしろにし、自己の民族的特質への認識を欠いている、と反論した。ここまで来ると、二人はもはや黙りこくるしかなかった」[14]。

一九四一年（四十九歳）重慶で章乃器、張君励らと中国民主政団同盟（四四年に中国民主同盟と改名）を設立、秘書長に就任。

一九四五年（五十三歳）「中国党派問題的前途」「中国統一在何処求？」を発表。中国革命は民族革命、民主革命、社会革命の三種の革命を同時に実行すべきこと、また、普通政党は国内のある特定部分の利益を代表するのに対し、革命政党は革命それ自体を目標とするという彼自身の見地から、新秩序の建設にあたっては革命党による一党制が望ましいこと、などを主張[15]。

一九四九年（五十七歳）在重慶。四一年以来執筆を続けてきた『中国文化要義』を四川成都路明書店から出版。自序のなかで、『東西文化及其哲学』（一九二〇―二一）、『中国民族自救運動之最後覚悟』（一九二九―三一）、『郷村建設理論』（一九三二―三六）とともにこの『中国文化要義』（一九四一―四九）を含めて四部作と称する[16]。

一九五〇年（五十八歳）一月に重慶より北京に至る。時に毛沢東はスターリンと会談のためモスクワに在り。帰国後の三月に毛沢東と面談。毛からの政府への参加要請を辞退。

一九五一年（五十九歳）五〇年から執筆の「中国建国之路」を発表。共産党の政策につき容認また賛同。

一九五三年（六十一歳）政治協商常務委員拡大会議の席上、中共の政策を農業軽視、工業偏重（工人農民生活九天九地之差）と批判し、毛沢東から「偽君子」と面罵される。

一九五五年（六十三歳）前年から始められていた胡適批判と並び、全国的な梁漱溟批判が始まる。

一九五六年（六十四歳）「これまで自分は（中国旧社会には階級は存在しなかったという）中国の特殊的側面を過大に強調し、そのため階級的観点に立って中国社会を見、階級闘争によって中国問題を解決するということを一貫して拒絶してきた」と自己批判。(17)

一九六六年（七十四歳）八月、毛沢東と林彪、天安門で全国の紅衛兵を謁見。同月二十四日、梁漱溟の家にも紅衛兵が乱入し、占拠される。そのなかで「儒仏異同論」を執筆（八六年、巴蜀書社より刊行）。

一九七四年（八十二歳）批林批孔運動が始まるなかで「今日我々はいかに孔子を評価すべきか」を執筆（八六年、巴蜀書社より刊行）。

一九七六年（八十四歳）一月に周恩来、九月に毛沢東死去、十月に四人組逮捕。

一九八一年（八十九歳）「毛沢東晩年における数多の過誤の根源についての試論」を執筆、翌年一月、香港『百姓』一五期に発表。三八年の延安での毛沢東との階級問題についての論争を前掲の如く回顧したのち、「事情は発展変化するもので、多年の後、生来独立思考型の私は、だんだん自信を回復したのに対し、毛主席は晩年に至ってその階級偏見を露呈し、荒唐な錯乱を倍加し、笑うべき地歩に達してしまった」[18]と。

一九八七年（九十五歳）十月三十一日（旧暦九月九日重陽節）、北京大学に赴任した年と誕生日を紀念して北京で〝祝賀梁漱溟従事教学科研七〇周年国際学術討論会〟（中国文化書院主催）が開催される。

一九八八年（九十六歳）六月二十三日死去。

右の一九一九年の項で、彼が陳・李・周の三人を新文化運動の本流に位置づけ、胡適をその圏外に置いていたことにうかがわれるように、少なくとも梁漱溟の側から三人に共鳴する何かがあった。それはまず第一に孔教＝礼教への徹底した批判であった。

たとえば陳独秀の「万一、新国家新社会を建設しようと欲するならば、この新国家新社会と相容れない孔教に対して、徹底した覚醒と勇猛な決心をもたなくてはならない」（「憲法与孔教」一九一六年）を挙げ、「陳君のこのくだりは痛快の至りというべきで、当時にあってこれほど明快な意見は彼をおいてなかった」[19]と評している。事実、礼教については、彼自身も「（もともとは柔軟で生き生きとしていた礼俗の秩序も）年を経るにつれて硬直化し、その錮蔽不通さにおいて宗教を超え、剛硬冷酷さにおいて法律を過ぎるに至った。民国七、八年に新思潮が興るや、これが〝人を吃《く》う礼教〟と呪われたのは、まさにこの故であった」[20]と述べていた。

第二には、この礼教批判と関連しての、中国の民族文化に対する批判的もしくは否定的な検討態度である。彼らがこのような検討を自国の文化に加えたのは、梁漱溟によれば、次の二つの状況認識があったことによる。

一つは、世界がすでに西方化され、「東方各国も、凡そよく西方文化を受容し運用できてこそはじめてその民族、国家を存立させることができる」、例えば日本はそれを果たして強国となったのに対し、「インド、朝鮮、安南、ビルマなどは西方化に間に合わず、結局西方の強迫力に占領された[21]」という冷厳な国際環境への認識。またもう一つは、中国も明末清初から西方の文物の輸入を始め康熙までは衝突もなかったのが、咸豊・同治以降は西方の手ひどい侵攻を蒙り、自衛のため大砲鉄艦を製造し、さらに学制などの諸制度を導入したが、それでも中国の自存はまっとうされない、王朝を倒し共和革命を達成したが、やはり自存に至らない、ついには「政治の改革もなお枝葉にすぎず、さらにその奥に根本問題があるということを悟る[22]」に至るという、中国の自存と変革についての深刻な自己認識、である。ここで、「根本問題」とは民族精神、伝統倫理、思想などを指す。

こういった認識がいつころ形成されたか、梁漱溟によれば、その時期を特定することは難しいが、「大よそ陳仲甫（独秀）らから起こった、といってよい。というのはそれ以前の人は中国の道徳風俗思想などの弊害を論ずるということはなく、立憲派であれ革命派であれ、中国文化と戦端を開こうとする人はただの一人もいなかった」「それは民国五年のことであったが、それから三、四年もせぬうちに人々の考えはすっかり変化した」という。彼らの認識では、「ことはすでに東西の戦いという問題ではなく、東方が存在できるか否かの問題」すなわちその「根本」のところで自存するに値する存在であるか否かの問題、となっていた[23]。彼らの「五・四」はこのように切羽つまっていた。

第三に、そういった切羽つまった状況認識に立っての自己検討から、彼らが伝統的な道徳や風俗の変革に目を向け、新たに獲得すべき新精神、新思想として、科学と民主とを標榜したこと、および梁漱溟もそれを高く標榜することについて人後に落ちなかったことなどは、もはや省いてよいだろう。

このように梁漱溟は、陳・李・周らとほとんど同じ「五・四」のサークルに属していたのであった。そしてこのような「五・四」こそ、われわれがこれまで、これこそ五・四運動としてイメージしつづけてきたあの「五・四」にちがいない。

陳独秀との対立点

では、陳・李・周らに対して梁の「五・四」を、ここで敢えて「もう一つの」というのはなぜか。問題点を分かりやすくするために、この三人のなかで、若くして没した李大釗、および政治よりは文芸の道を選んだ周樹人すなわち魯迅の二人を除き、毛沢東との間で線をつなぎやすい陳独秀を取りだし、それとの対比でその「もう一つ」を見てみよう。

梁漱溟が自分とは異なった道を進んでいる、と言ったのは陳独秀のほうであった。彼は、「梁漱溟は私を自分の同志だといい、自分と同じ道を歩んでいると言っているが、とんでもない話だ」といい、呉稚暉《ごちき》の「禍国殃民、亡国滅種の談」という先掲の言句を借りて、梁漱溟を張君励、梁啓超、章行厳と並べて批判したのであった。(24) この批判は、張・梁・章らが当時、東方派あるいは非西方派と見られていたことから察せられるように、(25) 梁漱溟を東方文化の提唱者と見なしてなされたものであった。

陳独秀の立場は極めて明快であった。

東方文化は、人類文化のなかにあって、西方文化に比べてはるかに幼稚である。

人類の文化は総体的に一つであり（人類之文化是整个的）、ただ時間上、進化の遅速があるだけで、空間上、地域の異同があるわけではない。

東方に現存するのは農業文化、家内手工業文化、宗法封建文化、拝物教、多神教文化、およびこれらの文化から生み出されるいっさいの思想、道徳、教育、礼俗、文章などの解放されざる文化であり、西方が以前すでに経歴したものであって、それは決して東方特有の何らかいいところがあるというものではない。この進化のない古びた骨董を特別に優れた文化のように見なし、それを保存しようなどというのは、自らを幽谷に閉じこめるというものではないか。(26)

この「幽谷に閉じこめる」という語句はこのあと梁漱溟の歩む道を批判する語として用いられ、またそのほか、「多くの人の論ずる中国、インド、欧州文化の異同は、ほとんどが民族性の異同であって、文化の異同に限られたことではない(27)」とも述べているところから、彼の以上の言説は梁漱溟の『東西文化及其哲学』に対抗して、梁漱溟を批判することを主眼にして書かれたものであることがわかる。

両者の対立点はここに至って明確となる。

まず第一点は、陳独秀が人類の歴史を総体的に一つのものと見なし、各民族の歴史を進化の時間軸上に遅速の順序に従って一列に並べるという、一元的進化史観に立っていること。

これに対して梁漱溟は、欧州文化を「向前要求の第一志向」、中国文化を「調和持中の第二志向」、インド文化を「反身向後の第三志向」と三つのタイプに分ける。(28)第一志向は、人が物に対する文化趨向、すなわち人が万物を求め万物に働きかけ、自然が障害となれば自然を改造するというように、個人の欲求を認め、科学を生みだす文化趨向であり、第二志向は、人が人に対する文化趨向、すなわち欲求は他者との間で調和し、相互に安分知足しつつ、自然と融和する文化趨向であり、第三志向は、人が己れに対する文化趨向、すなわち欲求は自己の内で消滅させ、無欲を最上の境地とす文化趨向である。

梁漱溟によれば、人類は第一から第二、第三へとその文化を進展させていく趨向にあり、中国も古代に第一志向を進んでいたが、それが自然改造や自然科学の精神あるいは能動的な個人を生みだす以前に第二志向に転移してしまったため、その第一志向の文化は早熟のままに終わり、その結果、第二志向も、もし西洋との接触がなかったなら、永久に科学も民主も生みだせない、停滞不前の文化となった、という。

つまり彼は、科学と民主を基準にしたとき、中国文化はもはやそれを創出できない停滞の文化であるとしてその後進性を認めつつ、但し、他方、道徳性を基準にするとき、物質的欲望の追求を本質とした第一志向に対し、倫理的な調和をめざす第二志向のほうを段階的に高次と見なすという、複眼的な多元的文化観に立とうとしていた。

こういった多元的文化観は、陳独秀の目には、たとい梁漱溟が一方で、科学と民主の欠落を中国文化の弱点とし、それどころか中国民族自存のための関鍵と見なしていたとしても、一方でその中国の儒家倫理について、「〝三綱五常〟が孔子のものか否かは、知る由もない。……やみくもに〝三綱五常〃を主張しあるいは攻撃するというやり方では、……決して孔子の根本精神に論及したことにならない[29]」などと客観主義的に論ずるかぎり、それは結局、反孔教・反封建の「五・四」に対する内部からの裏切りとしてしか映らなかったであろう。彼が、梁漱溟を同志などとはとんでもないといい、「曹錕や呉佩孚《ごはいふ》よりももっと悪むべき存在であり、その害毒は曹、呉よりももっと手ひどい[30]」とまで言ったのは、それが革命内部の「もう一つ」の分裂路線となる危険性を敏感に察知していたことを示す。彼にとってそれは、革命の隊列を内部から崩す、したがって革命の敵である曹、呉（いずれも当時、北京政府の実権を握っていた直隷派軍閥の首脳）よりももっと警戒すべき敵と思えたのである。

そのため彼は、前掲のように、人類文化には先進・後進の縦系列しかなく、その系列において中国文化は欧州文化に対して後進的であるという、単純明快な理論で、つまり学術論的にではなく、政治論的もしくは運動論的に対抗しようとしたわけだが、この陳独秀の政治論的・運動論的対抗が、われわれにかえって梁漱溟の「五・四」を学術論的な性格のものとして予測させるのである。すなわち、対立の第二点として、われわれは中国における階級の有無という厄介な学術上の問題に否応なくひきこまれる。

階級問題

陳独秀の「五・四」がやがて無産階級革命運動へと進展し、それが毛沢東の農村革命に継承された、というのがこれまでに公認の「五・四」の軌跡となるならば、「もう一つ」のそれは、中国には階級が存在しなかったという歴史認識にもとづいた農村運動として、たち現われるものであった。梁漱溟のこの歴史認識は、前述の第一志向への考察から導き出された。

このことについてあらかじめ了承しておきたいのは、彼の第一、二、三の志向が、単に現象として表われているものを並べてみせたというものではなく、西方文化の長所として彼が挙げた、自然の征服、科学、デモクラシーの三つにつき、それらを生みだした根源の「人生態度、生活志向に着目」[31]し、それを獲得するにはどうしたらよいか、という問題意識から発せられたものだ、ということである。それは、中国について「道徳・風俗・思想」などにまで考察を及ぼそうとしたことと表裏している。

自然の征服、科学、デモクラシーを生みだした根源が、「向前要求の第一志向」だとすれば、ヨーロッパにおいてその第一志向はどのように生みだされたか、が彼にとっての問題であった。彼によれば、それは「中世西洋社会における、一階級の他階級に対する絶対的な圧制と搾取」[32]に対する反抗として現出したものであり、その階級間の闘争こそが、中世の現世否定的・禁欲主義的な志向から人々を解き放ち、ギリシアの現世追求的な「向前要求」の志向を回復させ、その結果、自然征服、科学、デモクラシーを彼らの間にもたらした。そしてそれはまた、同時に、付帯的に、彼らの文化に「組織性と機能性（機械性）」を付加することになり、それがまたその文化に「強覇征服力と虎狼呑噬《どんぜい》性」という特質を与え、アフリカ・インドへの「貪残惨酷」[33]な侵略をもたらすもとになった。

では、そのような階級闘争が中国にかつて存在していたのか？　彼によればそれは否である。中国には階級対立自体が存在しなかった。なぜか。それは階級というものが存在しなかったからである。ではなぜ中国に階級が存在しなかったか、それが彼にとっての次の問題となった。

そしてその答えは次のようなものであった。

まず、彼がマルクス主義理論に沿って考える階級とは、「生産手段と生産労働とが社会の二つの部分に分けられ、一方が生産手段を占有し、他の一方が生産労働にのみ従事し、それによって搾取と被搾取の関係が生じた」ときに発生するものである。もしこの規定に従うならば、彼の見るところでは「このようなタイプの階級というものは中国にはほとんど存在が見られず、あったのはただ職業と身分の差だけであった(34)」。

階級観を大前提にして構築されたマルクス主義理論を援用して、中国に階級は存在しなかったという議論を展開しようというその無謀さにもかかわらず、あるいはそのためか、これについての彼の立証は年々精細なものになっている。

最初は、たとえば農村については、土地の売買が自由で、諸子に均等配分されていること、また生産技術が低く家族的経営形態をとっているため、生産性が低く土地の集積が行なわれにくいこと、などを挙げる程度であったが(35)、やがて当時流行の実地の社会調査(山東省鄒平、定県)にもとづき、たとえば定県では、一人の長工(長期の雇農)の食住費の支給以外の労賃が年に四〇元以上であるのに対し、田土一畝の価が四〇元以下であって、貯金にさえ励めば長工にでも田土は買えること、また同県のある郷では一万戸余りの農家のうち、田土一〇〇畝以上の農家が二%、一〇〇畝以下が九八%であるなどの数字を示す(36)。

あるいは、イギリスでの調査を援用し、一九〇五年以前の半世紀における内閣首相、大臣、外交官、軍官、法官、主教、銀行や鉄道の経営者などの七五%が貴族階級の出身者であるという状況であるのに対し、中国では、父親が農業を営み、息子が官僚で名を成し、あるいは兄弟の間で職業を分けるなど、士・農・工・商が社会のなかに流動的に混在していることなど、多くの実例をあげて立証しようとし、あるいは時には、毛沢東の「井崗山的闘争」中の「……社会組織は同一の姓を単位とした家族組織を基礎としている。村落での党組織は居住関係によっていて多くは同姓の党員で一支部が構成されているため、支部会議はそのまま家族会議となっている。このような状況下では〝闘争的なボルシェビキ党〟の建設はまことに困難である」という一文を挙げ、「これは階級闘争が中国人の固有の社会風俗に大いに反していることを示すものだ」と言ったりする。

そしてなお、封建支配という概念についても、ヨーロッパの研究書にもとづき、ヨーロッパ中世の農奴に対する封建支配の、たとえば、領主の承認なしには農奴は土地を離れられないこと、農奴は領主に命じられた方法と数量どおりに勤労すべきとされていたこと、領主が収回を必要としたときには農奴はいっさいの人と物とを返還せねばならなかったこと、また領主の許可なしに結婚したり牛を売ったりもできなかったことなどの事例をあげ、これらの経済外的強制の事例がそのままでは中国に該当しないことを暗に主張している。

こういった梁漱溟の事実認識上の綿密さに比べると陳独秀は、しばしば独断的で観念的である。たとえば、女性解放問題について、女性が家庭の束縛を脱して社会に出て就労したとして、自分が人を雇うということはありえず、とすれば人に雇われるしかないが、それは「つまり資本家の奴隷になることでしかない」、だから社会主義社会でなければ女性の解放は実現しない[40]、というなど、ここでは論理の飛躍はもとより「資本家」の概念に対する独断的な粗雑さが目立つ。

逆に梁漱溟が、彼自身大筋のところ社会主義を受け入れながら、しかしマルクス主義の大前提たる階級問題に疑問をもちつづけるのは、彼の立論が中国の実地から離れようとしない、その中国へのかかわり方に由来している。

彼自身、「自分はもともと文化を研究せんがために文化を研究しているのではない。少年の頃から中国問題に刺戟され、中国問題の解決に心を傾け、その挙句として中国文化を研究するに至ったのだ[41]」と述べているように、中国の自存と再生を実現するための研究であるため、中国の実地へのこだわりは深かった。

もちろん、陳独秀も中国の自存と再生を願う点では人後に落ちるものではなかろうが、にもかかわらずこの差異が出るのは、一つには、先述のように陳の政治論的・運動論的な作風と梁の学術論的な作風の違いにもよるのであろう。

ちなみに梁漱溟は、中国社会に封建制度がなお存在しているか否かという、当時マルキストの間でのホットな論争をめぐっても、「この研究をするにあたって、中国社会の歴史的発展を、西洋と同じ路線をたどるものとする一大仮定が、あらかじめ設定されてしまっている[42]」と不満を述べ、社会経済史の方法による観察をもっと多用すべきだと主張している。

のちに、先に年表で見たような、階級問題をめぐっての、毛沢東との〝特殊〟と〝一般〟、つまり特殊と普遍に関する対立は、マルクシズムの理論がどのように特殊ローロッパ的であり、また人類史的に普遍であるのか、といういわば二十世紀的な争点にかかわるものであった。

こうして見てくると、陳と梁の対立点は、第一点の一元か多元かにせよ、中国における階級支配の有無にせよ、つまるところマルクス主義理論の特殊性、普遍性をめぐってのことであるが、陳独秀の足跡から結果的にいえることとしていえば、陳はマルクス主義に対してあまりにナイーブに教条的であり普遍信仰的であった。これに対して梁漱溟のほうは、局地的であったにせよ実地調査の側から理論を検証しようという作風を保持しており、その点では初期の毛沢東に似ていた。陳が、中国革命を、ブルジョア革命かプロレタリア革命かという理論上の範疇でしか捉えられなかったのに対し、梁・毛の二人はともに農村の実地調査にもとづき農村の変革を中国革命の主軸にしようとしていたのである。

ちなみに、一九二七年、毛沢東が「湖南農民運動視察報告」を発表したその年に、梁漱溟も「郷治」運動を模索しはじめ[43]、やがてそれが「郷村建設理論」へと発展していった。この年、李大釗は軍閥に処刑され、陳独秀は右翼日和見として批判されてこの二年後に中共を除名されるなど、陳・李の「五・四」はこれ以後、毛沢東に継がれることになり、この結果、梁漱溟の「もう一つ」は毛沢東に対するそれに転じた。

二人は、農村の変革を主軸にする点で太く共通しながら、それを階級革命として位置づける毛に対し、階級闘争なき革命と位置づける梁と、その「もう一つ」の差異はきわめて大きかった。

では、階級闘争を否定しながらしかも社会主義に親近感を抱く梁漱溟の、その「もう一つ」の社会主義志向とは、どのようなものであったか。

宗法社会の伝統

彼の初期の社会主義志向は、多くの社会主義者たちがそうであったように貧者への同情や社会的不公正への憤慨に発するものであった。

私は、十幾歳から二十歳までの間に、社会主義に非常に熱く燃えたことがある。とはいえ、社会主義というのは本来西洋の産物だから、やれ資本家の労働者のという問題は、私にはほとんどどうでもよいことだった。……しかしこの書（幸徳秋水『社会主義之神髄』）を読み、経済上における人と人との競争の問題が頭から離れなくなり、これは重大な問題だと思うようになった。そして、考えれば考えるほど、社会上のいっさいの罪悪の根源が、すべて財産の私有にあることが明白だと思えた。

（北京の街角の乞食は）おしなべて老弱、婦女、残廃の人々で、彼らはこの生存競争の世界ではとうてい落後しないではおられない。……老幼、残弱の人々を扶助せず、皆がかまいもせず、あげくに乞食にさせてしまうとは、社会の罪悪といわずして何であろう。

要するに、この社会では、経済上相互に競争があるだけで助けあいはない。……この世界では巧智にたけ暴力をふるう者がその詐騙と強奪とをほしいままにする。……傷害を受け劫奪を蒙る人ももとより不幸だが、人を騙し人から奪う者も憐むべきだ、それはまるで人類ではない。ああ人類がこんなことでいいのか！(44)

右の述懐に見られるように、彼の社会主義志向は同情や憤慨に発するものであるが、さらにその奥を見てみると、そこには生存競争への厭わしさ、人間の私有欲へのうとましさ、また騙される者だけでなく騙す者も含めた「人類」のありようへの悲哀、といったものが横たわっていることに気づく。

彼の「自伝」によれば、彼は幸徳秋水の『社会主義之神髄』の影響から、自らも『社会主義粋言』という小冊子を刊行し、財産私有制の廃止を宣伝したが、「革命の理想と現実とのぶつかりあいから、自分のなかにもともとあった出世間思想が頭をもたげ、家に閉じ籠って仏典を研究するようになり、社会主義への酔心は一転して出世に向かうことになった」、という。[45]「〝欲望こそが人生のいっさいだ〟という見方はこのときも変わっていなかった。ただ欲望を肯定していたのが、一変して、欲望を迷妄と判定したというにすぎない」とも彼は述懐しているが、[46]私有欲を厭いつつも現実の人間世界でそれの存在を認めざるをえない、そのジレンマが彼に欲望を迷妄視させ、また出家させたのであろう。

彼のこういった、人間の本質への探源志向、あるいは人間をその外から眺める、なにがしかのやさしさと悲哀をたたえたまなざし、といったものが、彼の社会主義志向を当初から階級闘争理論から引き離していた。

あるいは彼のこういった性向やまなざしが、西洋の第一志向にはらまれた「貪残惨酷」を告発させ、中国がそれに無条件で追随することを拒否させたのかもしれない。

彼が「東西文化及其哲学」で先述の第一、第二、第三志向を論述したのは一九二〇年から二一年にかけてのことで、それは「出家の念を放棄」し「儒家思想に帰宿」してすぐ後のことであり、この三種の志向に「欲望」についての彼の葛藤が反映しているのは、彼自身も述べているとおりである[47]。

第一志向に西洋の成功を認めつつも、それに無条件には追随できないという彼、および同じ思いを抱いていた当時の中国の知識人の前に、新しい視界を開いたのが、西洋における無政府主義、社会主義思潮の興りであり、そのうち梁漱溟に影響を与えたのはたとえば無政府主義者のクロポトキンであった。

　クロポトキンは、鳥獣昆虫の観察によって得られる多くの互助の事実から……彼らに互助の本能があることを指摘した。……（これまでは）生存競争が自然界の法則であり、……生存競争を通じてこそ進化できるとし、動物界を単に弱肉強食の世界と見なしていた。今やそれは事実でないと分った。

　これまで（西洋では）個人、利己、利害の打算を提唱してきたが、今では完全に転換をとげた。彼らは現代思想の潮流は倫理の色彩を帯びたものであり、個人主義ではない、と宣言している[48]。

こうして梁漱溟も、陳独秀・李大釗らと同じく「互助」の円環内に立つことによって[49]、「現代は第一志向が第二志向に転換する過渡期である[50]」との認識に達した。

では第一志向の「向前要求」はどのように転質するのか。人の欲望はどうあるのがよいのか。彼は『論語』公冶長の「棖《とう》や慾あり、焉《いずく》んぞ剛なるを得ん（ある人が剛者として申棖の名を挙げたのに対し、「申棖には慾がある。どうして剛者でありえよう」と孔子が答えた）」をあげ、剛が充実した内部からほとばしる「真実の感発」であるのに対し、慾は物欲にとらわれて己れを見失う（向外逐去）ことであるとし、剛であるべきだ、とする。

……個人の利己、物質欲へのとらわれを超脱し、……真に内面の活気を発出する……。このような「向前の動作」があってこそはじめて真の力量となり、……はじめて中国人の年来の欠陥が補え、中国人の現在の痛苦を解くことができ、一方また西洋の弊害を免れ、世界の要請に応えることができる。(51)

こうして「向前要求」は「真実の感発」であるべきこと、すなわち利己欲・物質欲ではなく、道徳的本性から発する倫理的欲求であるべきこと、いいかえれば「調和持中」に帰着し融和する欲求であることとされる。

では「向前要求」からもたらされた自然征服、科学、民主はこれによってどうなるのか。

まず自然征服と科学は一本化されて、科学技術と言い換えられる。一方、民主は団体尊重と言い換えられるが、これには説明が必要であろう。そこで「郷村建設大意」での説明を見てみる。それによると、西洋では中世において、宗教などの団体の個人に対する干渉があまりにひどかったので、近代になって、個人が自由を要求し、団体の干渉を拒絶し、その結果、その個人主義は団体にとって求心的から遠心的にと転じた。こうして何百年がたって現在になると、それはあまりに遠心的になりすぎ、新しい風気が生まれるに至った。すなわち社会主義がそれで、それはつまり個人主義に反対するものである。その社会主義は、社会・団体を重んじ、個人は団体を妨害してはならず、必ず団体の拘束と干渉を受けねばならない。こうして旧来の個人本位の社会は転じて社会本位の社会になった、と。[52]

では、これに対して中国はどうあるべきか。もともと中国の病原は散沙のような分散とあまりの遠心性にあったのだから、これを合し求心的にしなければならない。それを逆に個人主義、自由主義、権利観念を提唱するというのは、薬が症状に対応していない、というものである。現在中国に必要なのは個人の団体に対する、また団体の個人に対する義務観念である。たとえば個人は公家(一郷から一国まで)に、公家は個人にそれぞれ義務を有する。

こうして民主は転じて団体的結合となり、中国が西洋から学びとるものは、科学技術と団体組織ということになり、これが彼における郷村建設理論の主柱となった。とはいっても科学技術は、農業技術、農作業の機械化、水力発電、機械工業、科学工業などの開発をいうにすぎず、むしろ「郷村建設理論」の主要課題は、結局、「中国の伝統精神を主体に西洋人の長所をとり入れた」ところの「中国精神の団体組織」[53]をいかにして農村に構築するかであるべきとされた。

その団体組織を彼は、西洋の個人本位、またソ連のプロレタリア独裁型、ドイツ・イタリアのファシズム独裁型の社会本位の社会に対して、倫理本位の社会と呼ぶ。[54]

この倫理本位の社会にあっては、倫理というものを、事実上家族や郷里の範囲のこととしてきた中国の伝統的通念を超え、倫理関係の連鎖が社会全体に広がったものとイメージされる。彼はそれを「偽道徳(礼教)が真の力量もなくただ表面に形骸を存しているだけであるのを徹底的に破壊し、……新しい社会組織構造、すなわち新しい〝礼俗〟を建設する」[55]こととも述べている。

少なくとも彼の意識では、それは「宗法社会の排他性」を排した「〝天下一家〟〝四海兄弟〟」の社会でなければならないが、(56)しかし一方、宗法社会の倫理的な連鎖性を継承するという意味では、「礼俗」社会でなければならず、その点でそれは英米式の個人本位社会とはもとよりソ連式の社会本位社会とも異なるとされる。

では、それの特質はどの点にあるのか。

まず経済面で、それは個人本位社会の財産私有制とも社会本位社会の公有制とも異なり、また旧宗法社会の家族所有制とも異なった「通財」「共産」制とでもいうべきものである。彼の脳裏にある「通財」「共産」とは、旧宗族内の同財でも私房間の分財でもない、財の共有制のことである。たとえば宗族で共有されていた祭田、義荘、義学や、あるいは郷村で共有されていた社倉、義倉、学田などで、それらは孤寡貧窮の者の救済や教育費の補助を主な目的としていた。これらは「彼此が有無を相通じ」、受給者は償還を原則とするが、救済の場合には償還を求めない、といった相互救恤、相互負責の連鎖関係によって成り立つものである。したがってそれは「隠然とした一種の共産」であるが、ただし「団体が共産を行なうのではなく、(団体の構成員同士が)相互に共しあうというもの」で、この「倫理関係のなかにある者は皆それぞれの〝份〟を有する」ともいわれる。(57)

〝份〟とは股份のことで日本流にいう持ち株、持ち分のことである。

つまりこの社会では、個人はそれぞれ生存の持ち分をもつという点で自立的であるが、その持ち分は他の持ち分と存否を分かちあうという点で連鎖から自由ではないため、この社会の個人には私有制社会の〝他者と関係しあわない自由〟はない。

次に政治面では、西洋社会における権利が、自己から出発するものであって自己が相対する相手側の認許によったり、あるいは第三者の公認にもとづくものでないのに対し、中国の場合は、権利は他者から与えられるもの、とされる。彼によれば、父母が子を育て教育するのは父母の義務としてであり、子の側から権利として主張して得られるものではなく、その教育を受ける権利は与えられて得られるものである、と。したがって、「倫理社会で貴ばれるのは、一言でいえば、相手を尊重すること」であり、「倫理関係とは一種の義務関係の表出であり、一個人は自己のために存在するのではなく、他者のために存在する」ともいわれる[58]。

以上、結局、彼の階級闘争のない社会主義革命とは、宗族制の伝統の枠を突破して社会大に拡大した、いいかえれば宗族制の相互扶助関係を国家大に拡大した「倫理社会」の建設である、ということが見えてきた。

彼の「農村建設」運動は、中共の土地革命を伴った農村革命と一線を画するものであり、彼自身も三〇年代、四〇年代を通じて、中共路線への不同意を表明していた。

では、以上見てきた彼の〝社会主義への道〟は、一九四九年以後の新中国の国家建設とどのように協和し、あるいは不協和するものであったろうか。

「礼治」社会主義

結論を先にすると、右に見たような梁漱溟の〝礼治〟社会主義とでもいうべき社会主義観は、新中国の建設方向に大筋合致するものであった。

もともと彼の中共批判は、その階級闘争史観とそれに立った武力闘争路線に向けられたものであったが、その理由は、その史観、路線がただでさえ分散的な中国社会のなかに一層の分裂と対立をもたらすから、というにあった。

だから新中国の成立後、分裂と対立を克服して、強力な国家的統一が進められると、かえってこれを礼讃さえするに至った。中共の事実上の一党支配についても、もともと彼にはそれに似た志向があり、またソ連の一党支配についても、それが従前の資産階級、知識階級の権利、自由の剝奪の上に立った無産階級という名の共産党員の特権的支配であることを承知したうえで、階級統治の交代期にやむをえない過渡的現象とこれを容認していた(59)。

こういった一党〝専政〟についての容認の背景にあったのが、彼における〝礼治〟思考であり、一つにそれは賢人治である。

もともと彼は、多数決というのは、「師を尊び長を敬う」という中国の伝統に合致せず、たとえば村内で名望もあり知識も高い人と教養のない妓女とを平等に投票させるなどは機械的平等であり、不公正である、と考えていた(60)。またその一方で、先覚者への期待があり、中国のように「民智が開けない国で改造事業を進めるのは少数の人」たらざるをえず、だから「中国革命の偉大な動力は、労働者階級ではなく、知識青年」であったし、それからすれば、もともと「中国共産党も〝五・四〟運動後の革命的知識青年が、労働運動に身を投じてそれと結合した産物」である、ともいう。その延長として彼は、少なくとも一九五三年に毛沢東から乱暴な批判を蒙るまでは、新中国の変貌に感動し、「今後、政治上、私は中国共産党の指導に信従する」ということになった。

(61)(62)(63)(64)

この先覚、賢人、少数者（としての共産党）の指導の容認、および多数決への懐疑は、法治に対する人治の容認という考え方と表裏している。「少数の賢智の士の指導と多数者の主動性とは調和させることができ、決して衝突しない、もしうまく運用できれば、二つは同時に発揮でき〝少数者の指導が多数者を受動的にする〟とは限らない。……われわれのこの賢智を尊尚する、そして多数者がその指導を受ける政治は、多数が主動的であって受動的でなく、同時にまたそれは人治であって法治でなく、硬直した死法を最高とするのでなく、生きた高明の士を最高とするものである[65]」と。

この人治はまた礼治でもあった。彼は農村建設の土台の一つに郷約を据えていたが、彼がめざす倫理本位の社会は、倫理情宜と人生向上を充たす自治組織として位置づけられていた。たとえば罪を犯した者は、道徳的な善導、教育的な勧励によって再生すべきであって、法の冷たい処分で片付けられてはならない。

こういった道徳的教導を重視する考え方は、自由についての独自な見方とつながる。彼によれば、自由とは集団から「個人の向上と創造のために与えられ」るもので、「自由を得るにふさわしいものだけが自由でありうる[66]」。たとえば、纏足をやめさせようというのに、自分の足を纏足にしようとしまいと自分の勝手だ、というのはこれも〝自由論〟ではあるが、これをこのまま容認していいのか。現に最近の自由についての西洋の新しい考え方はこれまでの〝自由論〟から転じて「中国の伝統精神と合致するようになった。まず第一に、自由は集団が個人を尊重するために与えるものである、という観点、これは自由とは相手から与えられるものだとする倫理の義に一致する。第二に、自由は集団が、個性を伸展しその長処を発揮し、新文化を創造するために人に与える、という観点、これは人生向上の意と一致する」という。[67]

以上、こうして見てくると、彼のいう倫理本位の社会は、

(一) 私有財産制ではなく共有制
(二) 権利関係よりも義務関係を重視
(三) 多数決よりも先覚・賢人の指導を重視
(四) 法治よりも礼治・人治を重視
(五) 個人の自由に対する集団の理念の優位

など、宗法社会以来の伝統的な通念を改造し、継承し、基礎としつつ、その通念の継承において新中国の建設方向に協和するものであったことが分かった。

われわれは、この論稿において、梁漱溟の五・四から新中国に至る軌跡を、陳独秀・李大釗・毛沢東らのそれに対して「もう一つ」の軌跡であることを明らかにすることを目的とした。それは、陳・李・毛らの中共の道に対する梁の非中共の道であり、階級闘争に対する非階級闘争の道であった。そしてそれは、これまでの常識に従えば、宗法的・儒教的伝統思想に反対しそれを打倒しようとした道に対する、宗法的・儒教的伝統思想を改造しつつも継承しようとした道、つまり妥協の余地なく相対立するもう一つの道でもあるはずであった。

しかし結果としては、この二つは、中国に階級は存在したかしなかったか、という革命の根幹の部分では対立しつつも、新中国の建国の局面では、二本の藁があざなわれて一本の縄になるように

協和していくのを見たのであった。

このことはわれわれにどんな示唆を与えるのであろうか。

まずわれわれは、梁の礼治思考が毛路線になじむものであったという事実から、逆に、毛路線が宗族制の破壊を伴うものであったという通説的な理解にもかかわらず、実際は礼治の秩序通念、すなわち礼治思考といったものを基本的に継承したものであった、という認識をもつに至る。

実はこのことは、すでに十年も前に李沢厚氏によって指摘されたことである。氏は次のように言っていた(68)。

「五・四」の〈啓蒙〉すなわち個人の権利、尊厳などの主題は、〈救亡〉すなわち民族革命などの主題に「圧倒」され、ついに開花の日はなかった。ではなぜ、どのように「圧倒」されたか。中国は資本主義という歴史的前提を欠いたまま、封建および半封建・半植民社会からいきなり社会主義社会に突入したため、ブルジョア的な自由や個人主義に反対し社会主義的な集団主義を打ちたてるというスローガンのなかに、封建的な「集団」主義がぞろぞろと侵入した。たとえば、差異や個性を無視した平均主義、権限が不明確なまま、いっさいをとりしきる家長制、尊卑秩序に厳格な等級制、あるいは、専制、閉鎖、因循、世襲、鉄の規律、闘私批修などなど、である、と。

以上を、われわれの文脈でもう一度いい直すと、〈救亡―革命〉の集団主義のなかに、礼治思考が侵入し、個人の権利・尊厳など〈啓蒙〉の主題を圧倒してしまった、となる。

〈救亡―革命〉のなかに礼治思考がその構成要因として混在している、という認識においてわれわれは一致しているわけだが、しかしそこから得られる結論の方向は、むしろ反対方向にすれ違っている。

このすれ違いは、李沢厚氏においては、〈宗法・礼治システム〉は〈革命〉によって本来克服されて然るべき封建的残滓でしかない[69]のに対し、わたくしにおいては、よくも悪くもその〈宗法・礼治システム〉が「中国式」の社会主義の性格を内側から規定した要因であり、その〈革命〉との親近な協和ぶりからいえば、〈革命〉の達成要因とさえ見なされる、としている点にある。

ここでわれわれは「いわゆる礼とは社会制度を指していうのであり、威儀礼節をいうとは限らない[70]」という梁漱溟の言句に留意する必要がある。ここで社会制度というのは、国家によって定められた行政制度をいうのではなく、民間で自由な個人的関係の人々あるいは集団化された人々の間でのある種の合意によって形成された秩序システムであり、それはいいかえれば道徳、風俗のレベルで共有された社会通念上のルールである。

梁漱溟は彼のいわゆる「新しい礼俗」の基礎に伝統的な郷約を置いた。それは具体的には呂氏郷約の、㈠ 徳業を相勧める、㈡ 過失を相規《ただ》す、㈢ 礼俗を相交える、㈣ 患難を相恤《たす》く、の四大綱領である。このなかの㈠から、先覚、賢人の衆人への教導、法治よりも礼治・人治の通念が生まれ、そしてこの徳業がのちに「専（知識・技術）」に対する「紅（思想・倫理）」として雷鋒神話を生んだこと、また㈡から、大戦後の国共内戦期に八路軍が国民党軍の捕虜に路銀を与えて郷里に帰らせたことへの梁漱溟の共感が生みだされ、またわれわれに印象深いこととして日本の戦犯に対してとられた教育による悔悟という方法が生みだされたこと、㈢からは、たとえばのちに五〇年代の梁漱溟によって、無産階級の精神を、集団主義を重んじ個人主義に反対し、組織的で規律があり、堅忍頑強であること、また公にして私を忘れること、自己犠牲を惜しまないこと、などと捉えられ[71]、「無産階級の精神はすでにわれわれの伝統的習俗より高いところにあるが、同時にまたわれわれの固有の精神に共通もしているから、中国人には大いに学びとりやすい」とし、「さらにこれに伝統的風俗習慣の〝情義を重んじ財物を軽んずる〟を加えれば、……中国人は資産階級の法権利観念に阻碍されることもなくなろう」[72]といわれた、中国の〝社会主義〟に独特な情理主義が生まれたこと、㈣からは、これもまた五〇年代初期の梁漱溟を感動させた新政権のもとでの種々の社会保証システム（彼は疾病救済金、在職養老補助金、出産休暇手当など、二〇項目を挙げている[73]）が生まれたことなど、中国革命が郷約の全国規模版であったそれらが、いみじくも梁漱溟のいわゆる「新しい礼俗」の内容でもあったことに思い至る。

将来の政治制度は……われわれのこの（郷約にもとづいた）郷村組織を骨子とするであろう。われわれのいわゆる新しい政治習慣、新しい礼俗、中国の民主政治、いわゆる人治の多数政治はこれを指していう[74]。

とも梁漱溟は言っていた。

そして、この「新しい礼俗」こそが、前述の㈠から㈣までのマイナス面として、㈠において毛沢東崇拝と専制、李沢厚氏のいわゆる「家長制」「等級制」、㈡においては文革の三角帽子および「鉄の規律」、㈢において全体主義的な「大公無私」や「闘私批修」、あるいは情理主義の「閉鎖・因循・世襲」、㈣においては「大鍋飯」や没個人・没主体の「因循」をもたらしたこともまた、周知のところである。

畢竟、中国革命は、歴史のダイナミズムに避けがたいこととして、正と負の両面をそのなかにあざないつつも、郷約とか宗法とかの礼治システムを母胎とし、礼治思考を骨格形成の因子とすることによって成立したものである。(75)

このことはわれわれにどのような歴史観上の調整を要請するであろうか。

まず一つは、宗法社会に対するわれわれのこれまでの観点である。たとえば「宗族制を根幹とする家父長的性格……父子・長幼関係を絶対視する儒教的規範(76)」といった理解、あるいは端的に「吃人（人を食う）的礼教」といった表現が、宗法社会の全像を公正に映しているかどうか。結論的にいえば、それは否である。この観点は、「五・四」期という特殊な歴史時期に、呉虞や陳独秀、魯迅らによって、宗法社会を攻撃するために用いられた言説を、そのまま事実と見なして鵜呑みにした観点であり、実際に清代に存在していた宗法社会の諸相を、その時代の目で検証して得られた(77)観点ではない。

次に、中国が資本主義社会を経ていないことを、歴史上の負面と見なす観点である。文化大革命、天安門事件、魏京生問題など、「個人の権利・尊厳」の面での負の軌跡がその観点を確かに支えている。そうでなくとも、海外に出、資本主義社会の発達ぶりに接した中国の若い学生のなかには、もし中国が「五・四」以降、社会主義の道ではなく資本主義の道を歩んでいたら、もっと経済的に繁栄していたであろう、と考える者もいる。こういう人たちは李沢厚氏の〈救亡〉圧倒論にも承服せず、〈革命〉そのものに否定的である。こういう資本主義（＝「ブルジョア民主主義」）憧憬とでもいうべき観点に対しては、「五・四」以降の歴史ではなく、清代中葉から民国期に至るまでの中国社会のシステム、とりわけ梁漱溟もいう、均分相続で流動性が高く、私有財産の確立よりも宗族結合による相互扶助、相互保険の共同性に依存したシステムを、正・負の判定を抜きにした、そして西欧や日本の社会システムとも対比した比較の目で、検証することを、提言しておきたい。

こういった資本主義憧憬は、その裏側に、では二十世紀の社会主義、すなわち資本主義を経過せず、むしろ「封建」的な（この「封建」にも再検討が必要である）共同体関係を基盤としたいわゆる「後進国」型の社会主義、たとえばわれわれの文脈でいうところの〝礼治〟社会主義につき、一体それらがそれぞれの国の歴史過程にとってどういう過程であったのか、という問題を提起するであろう。中国の〝礼治〟社会主義を見た目でいえば、われわれはこれらの「社会主義」にマルクスの公式をもちこむことはもとより、そもそもこれらをイデオロギーの目で見ることとさえ憚《はばか》るであろう。中国でいえば、そこで結果として達成されたのは、宗族の枠を破った国家規模の礼治社会、その物質的基礎となった土地の公有制、その基礎の上に「大公無私」の共同性によって達成された重工業化、そしてそれら新しい社会関係を支えた男女平等や教育制度、医療制度、交通、通信網など、総じていえば中国型の近代化であった。そしてこれらの近代化の成果の上に、一九七八年以降の改革開放、すなわち私的営利の開放があるのであり(78)、ここにはイデオロギーの解釈が入りこむ余地はもともとない。

一方また、礼治システムの歴史的特質を歴史過程から切り離して抽出し、東方の文明原理とかと称して、西方の資本主義文明原理の対抗物に仕立てあげようとする東方主義者の意図にも注意を払う必要がある。十九、二十世紀には、資本主義的原理が西欧資本主義社会の歴史過程から切り離して抽出され、あたかも時空を超えた普遍的原理であるかのようにアジアの諸社会を席捲したが、それらを今、それぞれの歴史過程に戻して個別化・相対化しつつあるとき、東方の文明原理なるものがひとり抽象化され普遍化されうるはずもない、と東方主義者は知るべきであろう。

さて、以上あるいはその他にも、さまざまな観点上の調整の問題を孕みながら、われわれの「もう一つ」は、礼治と中国革命のあざなう道筋をそれとして指し示してきた。

しかしここにあるのは、結論ではなく、問題の始まりの開示である。たとえば、梁漱溟の発した、中国に本当にイギリス型の階級社会があったのか、そもそも階級というのは世界史のなかでどこまで普遍化されうるものなのか、畢竟いわゆる中国型社会主義とは何を指していっているのか、という問い[79]に対して、これから政治論的にではなく、学術的な検討が、まず始められなければなるまい。

(1) 〈寸鉄〉〝精神生活東方文化〟一九二四年。『陳独秀著作選』(以下『著作選』)第二巻、上海人民出版社、一九九三年。

(2) 李渊庭等編『梁漱溟先生年譜』(以下『年譜』)一九五三年の項、広西師範大学出版社、一九九一年。

(3) 艾愷(Guy S. Alitto)『最後的儒家——梁漱溟与中国現代化的両難』海外中国研究叢書、江蘇人民出版社、一九九五年。

(4) 家近亮子「梁漱溟における郷村建設運動論の成立過程」山田辰雄編『近代中国人物研究』(慶応通信、一九八九年)に挙げられる(日本)岡崎文夫、菊田太郎、木村英一、橘樸、小野川秀美、上原淳道、山口一郎、加々美光行、熊野正平、後藤延子、平野正、(中国)主伝誉、汪東林、胡応漢の諸氏の論文・著述のほか、管見のかぎり次の論文がある。

（日本）河田悌一「伝統から近代への模索――梁漱溟と毛沢東」岩波講座『現代中国』第四巻、一九八九年、坂元ひろ子「民国期における梁漱溟思想の位置づけ」『中国――社会と文化』第五号、一九九〇年。（中国）著書に前記以外に馬勇『梁漱溟評伝』安徽人民出版社、一九九二年、郭斉勇・龔建平『梁漱溟哲学思想』湖北人民出版社、一九九六年。論文に高瑞泉「梁漱溟意志主義哲学構架簡析」『華東師範大学学報』哲学社会科学版、一九八七年三期、鄭大華「梁漱溟対中国文化的認識与探索」『北京師範大学学報』、一九八八年六期、宋思栄・畢誠「論梁漱溟的教育社会学思想」『湖北大学学報』哲学社会科学版、一九八九年六期、王宗昱「評梁漱溟論《大学》及其対朱王的批評」『北京大学学報』哲学社会科学版、一九九〇年六期、鄭大華「梁漱溟与陽明学」『孔子研究』一九九〇年二期、王宗昱「評梁漱溟早期的文化観」『東岳論叢』一九九〇年五期、高力克「現代化与儒家人生――梁漱溟文化哲学的困境」『北京師範大学学報』一九九〇年六期、梁海萍「梁漱溟研究綜述」『学術研究動態』一九九一年二期、龔喜春「評梁漱溟的郷村建設理論」『湖北師範学院学報』哲学版、一九九二年二期、夏士清「梁漱溟生命化儒学対其郷村建設思想的影響」『深圳大学学報』人文社会科学版、一九九二年二期、高力克「梁漱溟：在歴史理性与価値理念之間」『浙江大学学報』一九九四年一期、同「郷土社会与中国現代性――梁漱溟郷村建設思想再評価」『二十一世紀』一九九四年二期、景海峰「梁漱溟対西方文化的理解与容受」『深圳大学学報』人文社会科学版、一九九四年一一期、許紀霖「梁漱溟与儒家的内聖外王理念」『学術集林』二輯、一九九五年。

（5）　前掲『年譜』を適宜参照した。

（6）　「中国――理性之国」第二八章、『梁漱溟全集』第四巻、四七八ページ（以下『全集』Ⅳ-四七八と略記）、山東人民出版社、一九九一年。

（7）　「郷村建設理論」乙部第一段第三節、『全集』Ⅱ-四一三。

（8）　「我的自学小史」十一、十二節参照、『全集』Ⅱ-六九〇―九一。

（9）　「自述早年思想之再転再変」『全集』Ⅶ-一八一。

(10)「自伝」『全集』Ⅶ-六三五。
(11)『年譜』引用の「紀念蔡元培先生」による。
(12)「記李守常（大釗）先生事」『全集』Ⅶ-四八四―八五。
(13)「我努力的是什么——抗戦以来自述」〈毛沢東的会談〉『全集』Ⅵ-一九八。
(14)「試説明毛沢東晩年許多過錯的根源」『全集』Ⅶ-五二〇―二一。
(15)「中国党派問題的前途」『全集』Ⅵ-五七二―七三、五七五。
(16) 本書第一章で彼は、中国文化の特徴として次の一四項を挙げて論述している。
㈠広土衆民、㈡偌大民族之同化融化、㈢歴史長久、并世中莫与之比、㈣中国文化力量之偉大、不在知識、不在政治、不在経済、不在軍事、㈤歴久不変的社会、停滞不進的文化、㈥几乎没有宗教的人生、以道徳代宗教、以礼俗代法律、㈦家庭生活是中国人第一重的社会生活、親友等関係是中国人第二重的社会生活、㈧欠乏科学、中国学術不向着科学前進、㈨民主、自由、平等等一類要求不見提出及其法制之不見形成、㈩道徳気氛特重、法律立于輔助道徳礼教倫常之地位、(十一)中国不属普通国家類型、(十二)無兵的文化、(十三)孝的文化、(十四)中国隠士与中国文化有相当類系。
(17)「一九五六年政協大会上的発言」『全集』Ⅶ-二九。
(18) 前掲、注(14)。
(19)「東西文化及其哲学」第一章、『全集』Ⅰ-三三八―三九。
(20)「郷村建設理論」第三章、『全集』Ⅱ-二〇一。
(21)「東西文化及其哲学」第一章、『全集』Ⅰ-三三二。
(22) 同右書、Ⅰ-三三四。
(23) 以上「東西文化及其哲学」『全集』Ⅰ-三三二。
(24) 前掲、注(1)、「精神生活東方文化」『全集』Ⅳ-五八〇―八一。

(25) 劉錫三「五四以後中国各派思想家対於西方文明態度」『社会学界』第七巻、一九三三年、参照。
(26) 以上、前掲、注(1)。
(27) 同右。
(28) 梁漱溟の前半期の思想の骨組については、小野川秀美「梁漱溟に於ける郷村建設論の成立」『人文科学』二－二（京都大学人文科学研究所、一九四八）がきわめて周到で要を得ているので、本論稿と併せて参照されたい。
(29) 「孔子真面目将于何求」『全集』Ⅳ－七七〇。一九二三年。
(30) 前掲、注(1)。
(31) 「東西文化及其哲学」『全集』Ⅰ－三八五。
(32) 「中国民族自救運動之最後覚悟」第三章、『全集』Ⅴ－五四。
(33) 同右、第二章、Ⅴ－五一。
(34) 「我們政治上的第二个不通的路——俄国共産党発明的路」第三章、『全集』Ⅴ－二六九－七〇。
(35) 同右、『全集』Ⅴ－二七二。
(36) 「中国文化要義」第八章、『全集』Ⅲ－一四七－四八。なお陳独秀も数字をあげて農民問題を論じているが（「中国農民問題」『著作選』第二巻）、その数字は全国統計であるため、具体性を欠いている。
(37) 「中国文化要義」第八章、『全集』Ⅲ－一五三。
(38) 「中国——理性之国」第一五章、『全集』Ⅳ－三四〇。
(39) 「民族自救運動之最後覚悟」第三章、『全集』Ⅴ－五二－五三。
(40) 「婦女問題与社会主義」一九二一年、『著作選』第二巻。
(41) 「中国建国之路」第二章、『全集』Ⅲ－三四〇。
(42) 注(39)に同じ。第五章、『全集』Ⅴ－六八。
(43) 「自伝」『全集』Ⅶ－六三五－三六。

(44) 以上、「郷村建設理論」乙部第一段第三節、『全集』Ⅱ-四一三-一四。
(45) 「自伝」『全集』Ⅶ-六三五。
(46) 「自述早年思想之再転再変」『全集』Ⅶ-一八〇。
(47) 同右、Ⅶ-一八一、一八四。
(48) 以上、「東西文化及其哲学」第五章、『全集』Ⅰ-四九九、五〇二。
(49) 互助の思潮、運動の広がりについては野村浩一『近代中国の思想世界』第五章第一節を参照（岩波書店、一九九〇年）。
(50) 前掲、注(48)、Ⅰ-五三八。
(51) 同右、Ⅰ-五三八。
(52) 「郷村建設大意」第三段、『全集』Ⅰ-六六〇-六二。
(53) 「郷村建設理論」乙部第一段第一節、『全集』Ⅱ-三〇八。
(54) 同右、第二章。
(55) 同右、乙部第二段、『全集』Ⅱ-二七五-七六。
(56) 「中国文化要義」第五章、『全集』Ⅲ-八二。
(57) 以上、同右、Ⅲ-八二-八三。
(58) 以上、同右、Ⅲ-九〇-九一、九三。
(59) 「郷村建設理論」第五章、『全集』Ⅱ-二二七-二八。
(60) 「郷村建設大意」第四段、『全集』Ⅰ-六九八-九九。
(61) 「我們政治上的第二個不通的路――俄国共産党発明的路」第一章、『全集』Ⅴ-二六二。
(62) 「中国――理性之国」第六章、『全集』Ⅳ-二四九。
(63) 同右、第四章、Ⅳ-二三二。知識人が農村に入り、農村と農民を改造していくという路線では、梁漱溟は毛沢東と一致するが、毛沢東はさらにその先に、知識人の自己改造を推し進め、やがて文革期の知識人否定にまで行きつく。このとき両者の知識人観には差異がはっきり表われている。

(64)「信従中国共産党的領導并改造自己——在中国人民政協一届全国委員会三次会議的発言」『全集』Ⅵ-八七五。

(65)「郷村建設理論」乙部第一段第一節、『全集』Ⅱ-二九一—九二。

(66)同右、Ⅱ-二九八。

(67)同右、Ⅱ-二九八—九九。

(68)李沢厚「啓蒙与救亡的双重変奏」『中国現代思想史論』所収、東方出版社、一九八七年。のち坂元ひろ子他訳『中国の文化心理構造』平凡社、一九八九年に「啓蒙と救国の二重変奏」として収録。

(69)こういった見方は、日本で広く支持され、共通認識となっている感がある。たとえば以下を見よ。

「儒教道徳、倫理に対する真向うからの批判は、この文明世界の歴史において画期的な意味をもつものであった。しかし、それがやはりなお、この社会的基体の表層に加えられた一撃にすぎなかったこともまた、余りにたしかである」(野村浩一、前掲書、三六二ページ)。「毛沢東らはその中国的変種を摸索した。ところがそれは伝統と醜く癒着して儒教的社会主義に行きつき、悲劇的に挫折した」(毛里和子『現代中国政治』二九七ページ、名古屋大学出版会、一九九三年)。「予想外だったのは、中国の農村社会から宗族共同体が一掃されたあと、国家の家父長、毛沢東が誕生したことである。……儒教社会は人民中国の時代になって、反転と連続の思わぬ展開を見せることになった」(村田雄二郎「中国近代革命と儒教社会の反転」『中国という視座』二七五—七六ページ、平凡社、一九九五年)。

右の三氏の「表層」「挫折」「反転」にこめられた語感は、「五・四」の宗法社会に対する攻撃も、結局「表層」への一撃にとどまって「挫折」に終わり、それどころかかえって「反転」して甦生させてしまった、というふうに、礼治の残存を革命の不達成と見なすものである。

(70)「郷村建設理論」乙部第一段第二節、『全集』Ⅱ-三八五。

(71)「中国――理性之国」第七章、『全集』Ⅳ－二五五。

(72)同右、第二八章、Ⅳ－四八〇―八一。

(73)「中国建国之路」第二章、Ⅲ－三五五―五六。

(74)「郷村建設理論」乙部第一段第二節、『全集』Ⅱ－三九〇。

(75)毛沢東政治が、「「礼治」社会における「教化」ディオムの近代版」の一つであることを指摘したものに、村田雄二郎「中国マルクス主義と伝統文化――政統・親統・道統」岩波講座『現代思想』2〈20世紀知識社会の構図〉所収、一九九四年。ここに至って少なからぬ読者が、われわれのいわゆる礼治システムに対して抜本的な疑問を呈されるだろう。システムというけれど、結局は梁漱溟一人の言説によって示されているだけではないか。また、呂氏郷約にしても、明清を通じてそれほど普及はしておらず、族譜で見るかぎり、清代にはむしろ聖諭広訓や朱氏治家格言がより普及していたのではないか、と。そのとおりである。ただ呂氏郷約についていえば、その四ヵ条は、各地の郷約や宗族的結合における最も基本的な行動規範でありパターンであること、また梁漱溟の言説についていえば、確かにそれは個人の言説にすぎないけれども、本文中に掲げた㈠―㈤の倫理本位社会の骨子は、当時の社会通念として広く見られるものだ、とほぼいえる。ただしこれについては、今後、清代社会の価値観、倫理観を豊富な実例で再構成して大方の前に提示する必要がある。それがまだなされていない現段階では、本稿の礼治システムという用語は、まだ仮説を含んでいるといわざるをえない。

(76)　野村浩一、前掲書、三ページ。

(77)中間報告的なものとして拙稿「清代儒教へのアプローチ」参照、『江戸の思想』三、ぺりかん社、一九九六年。なお中文論稿に「礼教与革命中国」『学人』第10輯、江蘇文芸出版社、一九九六年。
なお、私は、宗族については宗族設立の目的と維持の目的との二つの面から考えてみようと思う。すなわち、設立の目的とは、㈠同族間の相互扶助、㈡相互保険、および、㈢同族の繁栄、であり、他方またその組織を維持するために、㈠祖を同じくする者同士の血縁心情の喚起（廟祭）、㈡祖親を敬う心情の昂揚（孝）、㈢輩行・排行など世代順や生年順による長幼の序（悌）、㈡長老による人治・道徳治、などのいわゆる孝悌秩序が形成された。

中国革命は後者を制度面で打倒しつつ、前者を主に継承した、と見ることができるであろう。

(78) ちなみに、最近出版された王穎『新集体主義：郷村社会的再組織』（経済管理出版社、一九九六年）において、著者は、現在の「〝共有制〟経済を基礎とした社会」における市場経済を「新集体主義」と名づけ、その定義として、「個人の利益を基礎とし、共同富裕を目標として建立された一種の合作意識であり、公私兼顧の関係モデルと郡体を単位とした社会組織方式である」としている。

(79) 聶莉莉『劉堡』東京大学出版会、一九九二年、田中恭子『土地と権力——中国の農村革命』名古屋大学出版会、一九九六年、参照。前者は、中国遼寧省の劉堡という一村落における革命前から革命後、および文革をへた現代までの変遷を、社会調査したもので、ここにはこの村落の「解放」前後の実態がリアルに示されている。後者は、一九四五―四八年の時期の、河北における中共の土地政策およびその実施状況に、資料上の制約はありながらも幅広く実証の目を届かせたもので、いわゆる土地革命、階級闘争の実態の一端が示されている。

付　歴史叙述の意図と客観性

歴史家と事実

歴史の叙述は、一般に、事実を選び出し、それを組み立て、それに意味づけをする作業であるとされる。その場合、選び出し、組み立て、意味づけのいずれも客観的な事実に基づいて行なわれることを自明の前提とする、とされているため、歴史学は客観実証の学であり、あるいは科学であるとも言われる。

しかし厳密に上の定義を検討してみると、まず入口の事実の選び出しにおいて、そもそも事実の客観性とは何か、について疑問が生じないわけにはいかない。堅固な実証主義者にとっては、事実とは文献・資料上の記録的事実であり、彼らの関心はもっぱらその記録の客観実証性に向けられるため、それらの人々にとっての事実は、もっぱら正確度によって文献学的に序列化され分類された事実となる。これらの人々にとっては、事実とは、歴史家の外に、歴史家の解釈の介入する余地なく存在する客観的な実在であり、そのゆえに科学とされる。一方それとは異なり、事実は歴史家に選び取られることによってはじめて歴史的な事実となると考える人々もいる。例えばE・H・カーの、「〈事実か〉正確であるといって歴史家を賞賛するのは、よく乾燥した木材を工事に用いたとか、うまく交ぜたコンクリートを用いたとかいって建築家を賞賛するようなもの」[1]だ、という建造物本位の考え方に立てば、歴史の事実は、歴史家の叙述の構成なり組み立てのなかではじめて事実としての存在理由を獲得する、ということになる。事実は歴史家の外に独立して存在するのか、歴史家によって事実とされるのか、という問題がここにあるのだが、事実の定義についてはこれ以上深入りするのはやめ、後で別の角度から見直すことにしよう。

ただ、事実の問題として、われわれ歴史学の分野でつねに心がけることを要請されていて、一般の人の気づかないでいることがあるので、そのことに触れておきたい。それは事実には、記録されていることによって注目される事実と同時に記録されていないことによって注目される事実もある、ということである。例えば、あまりに当たり前のことであるため、事実としては存在しながら記録されるまでに至らない日常生活上の「記録されない事実」、あるいはその事実、その観念がある時代には存在しなかったというその没存在であるがゆえに記録されない「存在しないという事実」に注意をはらっておかなければならない。

前者の例は分かりやすいことで説明を要しないが、後者の例について、敢えて一時横道にそれて、私自身の経験をもとに語っておくと、宋学での頻用語とされている「天理」という概念の例がある。この語は宋代以降の儒家に頻用される重要な概念の一つで、もとは古く『荘子』や『礼記』にも出てくる語であるが、しかし、もし漢・唐の文献に満遍なく目を通し、そしてそのうえで宋代の文献にも引き続き目を通したならば、この語が決して当時の儒家にとっての頻用語ではなく、それが突然多用しはじめられたのは、北宋の二程子（程顥《ていこう》・程頤《ていい》）によってであり、それ以外の儒家にはほとんど用いられていない、ということに否応なく気づかされるであろう。つまり、それはそれ以前の漢から唐までの間、また北宋でも二程子以外の言説には語彙例としてほとんど「存在しないという事実」に着目したということである。ちなみにこの語は後に朱子（朱熹）によって再び頻用され、それ以後、朱子学の拡汎に伴って明代以降、人々の間で日常会話のなかでも用いられるようになり、清代の人々はこの語が古代から日常的に使われている言葉と思い込むようになった。このような言葉の使用分布は、しかし決して単なる言語地図に終わるものではない。もし誰かがこの語の二程子における唐突な頻用というプロセスに疑問を抱き、「天」や「理」という観念を念頭に置きながら、哲学思想だけでなく、宮廷政治の現場での政治的言説や、当時の社会の生活上の通念、倫理観などをも視野に入れて漢から宋・元・明までの資料のあれこれを通覧していけば、やがて北宋を境に天の観念が、天譴的な天観（地上の災異を朝廷政治に対する天の譴責と見なすなど、政治の原点を天意においた天観）から天理的な天観（天と政治の関係を道徳・自然法則としての天理に原点づけた天観）に転換した、そして実は程子の「天理」観念はその流れのなかで、ある重大な意味転換がなされている、といった類の思想史的な歴史事実を、新たに発見するに至るのである。その場合その発見のきっかけは、「天理」についての「存在しないという事実」への着目に始まったことで、このように存在しない事実さえ、時には歴史に入る（後述）入口になる。

さて、さきほど、事実は歴史家の外に独立して存在するのか、歴史家によって事実とされるのか、という定義上の問題があるといったが、実は先掲のE・H・カーがこの問題についてすでに調停を試み、「事実を持たぬ歴史家は根もなく実も結ばず、歴史家のいない事実は、生命もなく意味もない[2]」と述べている。つまり歴史家の外に正確度の高い客観的な事実があってはじめて選び出しがなされ、一方、歴史家によって選び出され組み立てられてはじめてその事実は歴史叙述という構造物を構成する、言い換えれば歴史の事実となる、というのである。これは理論面での調停としては要領を得ているが、これだけでは実践面でさまざまな歴史叙述の差異が生じる所以が明らかにされていない。

実践面でいうと、歴史の叙述は、初歩的にいえば、どの事実をどう選び出すかということをまずその基礎作業とするが、その場合、そのいわゆる正確な事実がただ脈絡もなく並べられているだけでは、歴史の叙述にはならない。その事実が叙述の材料として選び取られるのは、組み立てを前提にしてのことである。その場合、事実があって組み立てが設計されるというケースもあれば、逆に組み立てのプランが先にあってそれから事実探しがなされるというケースもある。この二つは単に順序が逆であるというだけでなく、叙述の方法と内容の面で大きな差異をはらんでいる。

そこでまず問題になるのは、上の二つのケースに共通していることとして、歴史家がどのような事実によって、何をどのように組み立てようとしているか、という歴史家の意図の問題であろう。

歴史学が事実の学であるとか、客観実証の科学であるとかというのは、その事実がある意図によって選び取られるその判断基準、またその基準を決める叙述の意図は何かという問題を含めてのことでなければならず、そこに歴史学という学問の複雑さがある。客観（事実）と主観（意図）という二分法で歴史学を裁断することはできないのである。

　歴史学においては、事実の正確さもさることながら、それ以上にその事実をなぜ取り上げ、その事実によって何を伝えたいのか、という叙述の意図が実は陰の主役を演じている。歴史家は、多くの場合、自分が客観的な目で文献から客観的な事実を拾い出していると思いなしているが、上の二つの前者のケースでも、真に事実から自ずと組み立てがなされるというケース（後述）以外は、実はそのほとんどの場合、ある組み立ての構造を脳裏に無意識に描きながらその構図に沿って取捨選択していることに気づいていない。実際は多くの歴史家は、本来は主観に属するはずの自分の意図がどのように客観性を保ちえているのか、という深刻なジレンマに不断に直面しているのである。

　このジレンマについてある人が「小説家はフィクションによって真実を描き、歴史家は事実によってフィクションを創る」と揶揄《やゆ》したが、この揶揄は一見もっともらしくて実は皮相的である。というのは小説家にとってのフィクションと歴史家にとってのフィクションは決して同じではなく、それを同じ次元で並べることはできない、そしてそこの微妙なところにこそ実践面での最も複雑な問題が伏在しているからである。このことについてはまた後で触れなおそう。

　ここでは、まず、本稿が「叙述」をテーマにすることを踏まえ、以下、歴史叙述における事実（客観）と意図（主観）の問題を、いくつかの事例に分類しながら考えていく。

歴史の叙述における意図

およそ歴史の叙述といわれるもので、意図を持つことなく叙述されるものはない。たとえある人の個人史であれ、あるいは会社史、地域史であれ、それを歴史として叙述するからには、必ず何らかの意図を持って行なわれる。しかし、それらの意図は必ずしも同質ではなく、ある意図が客観性に富み、ある意図は主観性に富む、またある意図は高い理念に裏づけられ、ある意図は狭い目的に限定されている、あるいはある意図は本人に自覚され、ある意図はほとんど無自覚的である——などといったことはしばしばある。例えば、単なる記録として叙述される会社史の場合は、何年に創立され、何年にどこの営業所が開設され、何年にどこの会社を併合したかなど、事実の選択自体が客観的に行なわれている。ここでは意図は記録的な事実の（叙述者の取捨選択の余地の極めて小さい）所与性に従属している。それに対し、例えば個人史の一例として『福翁自伝』の場合ならば、そこには時代の転換期における福沢諭吉という人物の生き方が鮮烈に描かれており、読者は叙述者の福沢本人の強烈なメッセージを受け取ることになる。ここでは客観的な事実は叙述者の主観的な意図のなかに包容されている。

もし歴史叙述というものの価値基準を客観実証性の濃度に集約するならば、前者の会社史のほうがより客観実証的で、後者の『福翁自伝』のほうはその点に劣るかのように思われるが、実際は歴史叙述としては後者のほうがより豊かで価値があるとされる。それは、前者の場合は意図が所与の目的に従属させられて自立しておらず、選ばれる事実自体も所与の記録的事実であって叙述者の目による淘汰をへていないのに対し、後者は回想された本人の足跡つまり主観的に選択された事実自体に本人の「歴史の目」が働いている、ということに由来する。ここで歴史の目というのは、事実が歴史的な事実であるためには、歴史家の選択をへていなければならない、とされたその選択の目のことであり、その目には歴史家の意図や事実選択の基準などが含まれている。このように、歴史の叙述は大雑把な意味で、記録と物語の間を往復する。

ここには意図の質と歴史叙述の質との関係といった問題が潜んでいる。そこでわれわれはまず歴史叙述における意図について、整理をしておく必要がある。

㈠　叙述における所与的な意図——会社史、地域史などにおいては、上述のように、記録するに足るとされた非日常的な事実や数字が検証をへて、できるだけ多く選び取られ、叙述されるが、取捨選択の意図は、編纂者個人のではなく、会社や地域の責任者たちの意図であり、一般的にいってそれは会社や地域の意図であって叙述者の自立的な意図ではない。また叙述の材料はおおむね所与の記録的事実として固定され、かつ意図は前述のように所与の目的に従属しているため、叙述そのものは客観性に富んでいるとはいえ、その客観性は「記録の客観性」であり、われわれが問題化しようとしている「歴史の客観性」とは異質である。つまり事実の客観性がどれほど濃密であろうと、「歴史家のいない事実は、生命もなく意味もない」のである。ここでは叙述者の意図が所与性に束縛されており、事実がその所与性に限定されているということに、もっぱら問題がある。こういったことは、必ずしも会社史や地域史に限ったことではない。自分では無意識にある所与の目的意識に従い、あるいはある通念やイデオロギーを所与の道標にしているということは往々ありうることで、逆にこのことは、歴史叙述において、意図が自由であるというのはどういうことかという問いを自己に投げかける。

㈡　時系列の記録における光景と動力――一般に歴史叙述は時系列に沿ってなされるのが普通であり、その場合、叙述者の意図として、時間の流れに沿って事実を集め、類似した諸事実をグループ分けし、解説するというのが、もっともオーソドックスな叙述法とされている。われわれの中国史の分野でいえば、例えば、宋代には宋学、明代には陽明学、清代には考証学がそれぞれ栄えた、といった類の思想史叙述がそれである。確かに朱子学―陽明学―考証学という学術史的な変化は客観的な時代的光景の変化として誰の目にも明らかであるが、それをただ時系列に並べただけで、その時間の流れのなかに時間それ自体の質の変化を見出すことができず、ただ時間の流れによる光景の変化だけを叙述するならば、時間の歴史的な質の変化を叙述したことにはならない。このような歴史家は、喩えるならば汽車の車窓から移りゆく景色を眺めながら写真を撮り、その光景写真を時系列で並べて展示しているのに等しく、歴史家としての歴史探求の意図を喪失した傍観者、観察者でしかない。その傍観的な乗客たる歴史家の意図は、実は汽車すなわち時間に従属したものとなっており、歴史家が本来具有すべき自由な意図の働きを忘却している。誤解のないようにいうが、私は光景を描くなと言っているのではなく、光景に目を囚われるなと言っている。

いっさいの所与性から自由な歴史家であれば、宋代には宋学、明代には陽明学、清代には考証学、というこの江戸時代以来定説化した光景の描写から、つまり所与の叙述意図から、自由になりたいと思うであろう。そしてそもそもその光景の変化は、なぜ起きたか、何が宋学を生み、陽明学を生んだか、という素朴な疑問を自ら抱くはずである。そして、まわりの、「宋代には宋学」云々という光景描写を既成の枠組とし、自分を宋学研究者、あるいは明代の陽明学研究者と自己規定し、その規定に囚われた意図から、宋学関係の事実、陽明学関係の事実を取捨選択し、それによって叙述の組み立てをする、といった歴史研究のあり方に、根本的な疑問も抱くはずである。こういうふうにいうと、ではそもそも歴史叙述とは何か、歴史を探求するとはどういうことか、という質問を浴びるかもしれない。まさにそれが私にとっても関心事なのだが、ここでは敢えてテーマを歴史家の意図の問題に絞り、その質問に近づく一歩としたい。

意図についていえば、私は歴史家は、自分の意図につねに疑問を投げかけつづけなければならないと考えている。自分は何を知りたいと思っているのか、なぜそれが知りたいのか。そしてその自問はつねに現代の苦悩や課題意識をくぐっていなければならない。

私が王朝ごとに変化する光景の羅列に満足できないのは、中国の歴史にも光景だけでなく光景を光景たらしめている「歴史の動力」「動力の歴史」があるはずだ、という根強い疑問があるからであり、その疑問は中国史に対する偏見への不満感となって、私の歴史研究の意図を生み出している。

この意図は、あらかじめ「動力探し」という目的をもって歴史に入るかのように見えるため、前掲の「組み立てのプランが先にあってそれから事実探し」のケースに外見的には類似するが、実は「動力」というのは多くの事実と事実との関係から帰納的に浮かび上がってくるあるフィクショナルな映像であり、どのようなプランの先行も役に立たない。例えば、この陽明学を生み出した動力というのは、陽明学派や反対派の言説あるいはそれらの周辺を探せば見つかるというものでもない。むしろ動力の連続態としての動脈は、無辺の世界へのあてどのない旅のなかから、不意に姿を現わしてくるものである。つまり、事実があってその事実から「自ずと」組み立てがなされるというケースがこれである。

例えば、日頃、宋・明時代の士大夫の儒学関係の文献を読んでいる人が、あるとき、明末の民間の文献のなかに「礼教」という語を見出したとしよう。彼がそのとき、もし、自分がこれまで読んできた士大夫の文集のなかにこの語を見出した記憶がないこと、およびこの語は民国期に「人を食う礼教」など、儒教といえば「礼教」と呼ばれ頻用されていた、ということに思い及べば、そしてさらに探索の結果、この語が清代には遺産相続の誓約文書、宗族の族譜の家訓などの民間文書に盛んに用いられているという事実に行き当たれば、この「礼教」が民間の秩序システムとして、社会に行き渡っていたこと、そしてそれが民間社会の秩序維持の機能を果たすことによって、社会の政治的安定の保証となっていた、などのことに思い至るまでに、それほどの時間はかからないだろう。

このとき、もしその人の脳裏に、この民間秩序の形成は、民衆の一種の政治参加ではないかというアイディアが閃けば、その人は民衆教化の学という一面をもつ朱子学から陽明学への流れを直感したことになる。このアイディアあるいは直感が実は「自ずと」組み立てがなされるというケースである。

すなわち、士大夫や官僚が政治の担い手として民衆を道徳的に統御しようとした朱子学から、さらに民衆のなかの指導的・自覚的な層の間に政治＝道徳の担い手を拡汎しようとした陽明学（そして実は陽明学と対立的ないわゆる新朱子学も）、そして清代には一般民衆の全体を対象として秩序倫理（礼教）を浸透させようとした礼教（民衆儒教）の時代と、上層の官僚層から中層の民の指導層、そして下層の民衆の全体へと、政治＝道徳の担い手が下に向かってゆるやかに浸透し拡汎していくプロセスがそこに現前しているのが、直感によって発見された、のである。

裏返していえば、民衆の政治参加を求めるという歴史の内在的な力が、儒教における朱子学から陽明学・新朱子学そして礼教へという光景の変化を生み出した動力であるに違いない、という推論がそこに生まれた、つまり、民衆の政治参加という「歴史の動力」が時間の質の内容の一つとして抽出されたということになる。

この動力に関する推論というものは、しかし直ちにそれはどう客観的な事実になりうるか、文献的な証拠はあるのか、との問いに直面するだろう。

事実記録の確かな「光景」の記述における客観実証性と、事実記録なしの「動力」という、いわば見えざる歴史の叙述における客観実証性とが、どのようにして同じく「客観」と言えるのか、と。

このような問いに対しては、まず、この推論は記録された事実として存在するものではなく、一つのフィクションである、と答えよう。ただしこのフィクションは、小説家のフィクションでもなければ、歴史家が百人いれば百のストーリーができるといわれる「歴史家の物語」でもない。まず、これは蜘蛛から糸が出てくるように、事実のなかから出ている見えない糸で織りなされた、事実から出たフィクションであって、小説家のフィクションのように作者の想像力や登場人物の感性から生みだされた創作のフィクションではない。また、「歴史家の物語」のように歴史家がある目的的な意図を持って事実を捜集し、その意図に沿って百のストーリーのなかの一つとして組み立てられた、そういう歴史家によって語られるフィクションでもない。それは、歴史家のいっさいの叙述意図を受けつけない。歴史家の意図を超えてそこに厳然として存在しているフィクショナルな世界である。ただそれは歴史家に無関係に客観的に存在するというのではなく、歴史家の発見なしには姿を現わすことがない。またこれを発見できる歴史家には特別の資質が要求される。それはそのフィクショナルな世界を感覚できる歴史の直観力、感性である。その歴史の直観力、感性は、膨大な文献の果てしない海を泳ぎつづける気力から生まれ、現代という時代に歴史的に対面する現在感覚あるいは歴史感覚を栄養とする。そういう感性を具えた歴史家にのみこの世界は発見されるのである。

朱子学─陽明学─考証学という旧来の「思想史」つまり「学術光景史」における「光景」の客観性が事実記録のいわば写真のように動かない客観性であるとすれば、「動力」の客観性は、事実に意味を付与し、事実を生かし、記録的事実を歴史的事実として蘇らせ、現代との対話を引きだす、動く客観性である。

そしてそれこそが、私にとっては歴史の客観性であり、つまり歴史のフィクションの真実性である。

㈢ 特定の対象に限定された意図──普通、歴史研究といえばテーマは何かという問いが返ってくることは多くの歴史家が経験するところであろう。テーマをもち、ある限定された領域を研究の対象とするといった歴史研究は、実は歴史界における主流になっている。例えば宗族制研究、女性史研究、民衆反乱研究、などといったテーマ別の対象、あるいは明代小説研究、清代学術史研究などといった時代別の対象など。これらはどれ一つをとっても限定されたとはいえ、それぞれに大きな対象であり、どれにも一人の研究者が一生かかっても渉猟しきれないほどの文献量がある。だから誠実に研究しようとすればするほど研究対象の範囲は限られざるをえない。研究者は、あらかじめ自分の意図を特定の対象に限定し、その限られた意図と基準に沿って文献のなかに必要な事実を探しにいく。

しかしこの方法には、対象とする範囲が歴史の全体からある独立した部分として切り取られたものであるため、その部分が全体との関連という面から見て、ある切断やひずみを免れない、あるいはその部分を部分として組み立てるにあたり、全体像とは異なった構図で組み立てられかねないという、二つの心すべき重大な陥穽が付帯している。

ここで問題になるのは、歴史の全体像というものがどのように把握できるものか、である。少なくとも中国史についていえば、動力の面から見たかぎり、中国の歴史の全体像はまだ十全には明らかにされていない。二十四史という王朝編纂の正史というものもあり、各王朝ごとの記録も時代が下るほどに豊富になり、それに依拠してすでに多くの中国史が書かれているのに、なぜまだ十全には明らかでないというのか。それは、これまでの歴史像の多くは基本的に光景の構成態、連続態、甚だしきは並列態としての歴史像であり、時間の質を捉えた、言い換えれば、事柄としての光景を時間の質の連関や変化態として、さらにいえば、光景を光景ならしめた「歴史の動力」「動力の歴史」に即して捉えた歴史叙述はまだ完全には存在していない、言い換えれば、中国史には、ヨーロッパに見られるような系統的な、つまりフィクショナルな動力の歴史の叙述の蓄積がまだ不十分だということである。私の見るところでは、このように中国の歴史像が明らかでないというのは、実はアジアの歴史像、ひいてはヨーロッパの歴史像も未完成であり、世界史の歴史像も同じく未完成であるということを意味すると思われるが、これについては別の機会にゆずる。

一般的にいえば、部分の光景の集合体が全体の光景なのであるが、そう言えるためには光景が内的な連関によって繫がっていなければならない。内的な連関とは、言い換えれば、歴史を動かし光景を生みだし、あるいはそれに変化をもたらす内的な動力の連鎖である。この連関や連鎖に繫がらない部分は、本来は「歴史の部分」でありえない。例えば、中国近代思想史についていうと、清末の厳復が自分が翻訳した ***A History of Politics*** の影響を受けて、中国の宗法を文明「半開」の封建的な家父長制と見なし、それ以降、民国期の新文化運動が反宗法を掲げ、その反宗法＝反封建の言説が民国期の思想潮流をなしたという事実を踏まえ、その観点に立った思想史研究がその後つづいた。そして「家父長支配」という部分像だけが宗族制の「相互扶助」を主軸とした全体連関から切り離され、宗族制といえば「家父長支配」というキーワードに集約されて、ながく一人歩きした。そして中国近代思想史を反封建＝反宗法＝反「家父長支配」の歴史として分かりやすく単純化し、宗族制における「相互扶助」という全体と連関した部分を切り落としてきた。しかし実際は宗族制を実利的に支えてきた相互扶助の通念やシステムは、毛沢東革命によって宗族制が打倒された後も、中国社会主義の社会倫理・システムとして、光景を変えながら生きつづけた。つまり、ここでは歴史の質は相互扶助システムの変化態として抽出され、歴史の動力はそのシステムの持続と改変をめざしていたと理解できるのである。反封建＝反宗法という中国近代の部分像は、その動力から遊離したため、全体像から見てあるひずみを免れなくした。

このように、特定の対象に限定された叙述、言い換えれば、特定のテーマに的を絞った歴史叙述は、そもそもどういう観点、立場、分析枠組によって事実を選び、組み立て、意味づけるのかという問題につねに直面せざるをえない。そのとき、最も厄介なのは、その観点、立場、分析枠組が自分が意識することなく、既成のそれらにもたれがちだ、ということである。これはイデオロギーの枠組によって対象に接する場合、一層顕著に現われる問題である。しかし、かといって私は特定のテーマや対象に的を絞った研究を軽視しようと言っているのではない。むしろこの大多数を占める研究のあり方を重視するだけに、一層有用性が発揮されるべきだと考えている。ただそれが有用であるためには、その個別研究がつねに全体像との関連を失わないよう留意されるべきだと言いたい。

㈣　あるイデオロギーや既成あるいは外来の観念に従属した意図——中国の歴史研究者によってなされてきたマルクス主義的なあるいは人民史観的な歴史叙述が、叙述の意図としてどのように主観的なものであったか、今ではよく知られたことである。マルクス主義的な研究において、いわゆる法則性なるものに依拠するとき、その叙述は法則に沿った客観的な意図にもとづくものと本人は考えているが、もしその法則性なるものが中国の歴史のなかから抽出されたものではなく、言い換えれば中国のなかから浮かび上がった、中国のなかにもともと存在する構図ではなく、従って中国の歴史の実態に妥当しないとしたら、それに依拠した歴史叙述は、中国にとって「法則」という名の主観の押し付けになる。このことは歴史研究における意図や基準の客観性というものにある解答を与える。

『荘子』養生主に屠牛の逸話がある。ある屠殺者で牛を相当数屠殺しながら包丁に刃こぼれがないことで有名な人がいた。その人がその秘訣を聞かれ、自分は骨や肉を切るのではなく、肉の筋目や骨の間の空間に沿って刃を動かしているだけだから、と答えた、というのである。この逸話は、歴史を分析するとき、対象にどのように対応するかという問題にヒントを与えている。すなわち、その対象がもともと具えている内部の脈絡を無視し、外から力づくでその対象を裁断することは、客観を無視した主観行為であることが分かるだろう。

例えば、戦後半世紀後までに、中国近代思想史研究に従事した研究者は、儒学思想については、ほとんどが儒教を封建的な遺物と見なし、儒教の「家父長的支配」を打倒して、平等な社会主義社会を建設する、という構図によって中国革命の全体像を捉えていた。またその観点に立って、明清の思想史において、ある人は「心即理」をテーゼとする陽明学を儒教の解体をもたらす思想と見なし、しかし実際は清代には陽明学が影を潜め、それどころか「家父長支配」的な「(人を食う)礼教」が社会全般に拡汎したことから、中国では「近代」は明末期に挫折した、つまり中国では「近代」は成熟せず、アヘン戦争以降ヨーロッパの「近代」の流入を俟ってはじめてその受容と抵抗の苦渋の近代が始まった、という構図で中国近代の全体像を捉えようとした。ここでは中国近代思想史の全体像は、儒教(王朝の伝統)を封建思想の遺物と見なす既成観念によって組み立てられた。またその観点に反対する人もヨーロッパ枠組のなかでのことであった(例えば抵抗の儒教、自己否定の儒教など)。ついでに注意を喚起しておくと、この場合、儒教(王朝の伝統)を封建遺物とする観念は、いわゆる〝西洋の衝撃〟によって中国の知識人の間に生まれた危機感の産物で、その危機意識の観念自体は文献上に残された言説として客観的に存在するが、言説の内容はあくまで主観的で、それは清末・民国期の知識人の危機感を示すものであっても、決して中国自体の客観的な危機を示すものではない、ということに留意しておかなければならない。つまり、以上の構図は二重の意味で「外来」である。すなわち、一つには知識人の歴史観がヨーロッパ近代の構図に浸透され歪曲されたこと、いま一つは浸透され歪曲された歴史意識で自己の歴史像を語ろうとしたこと。ただし、現在はこれらの偽の構図はとっくに破綻したが、構図を描くこと自体まで否定されるようになった結果、百の歴史家が百のストーリーを語るといったアナーキーな状態に陥っているように見える。

しかし「外来」の歴史ベールをはがして、中国の内なる動力に沿って歴史像を透視したらどう見えるか。

実際には、前述のように、中国では、儒教が陽明学以降、民間の秩序倫理として広く浸透が図られ、清代にそれが「礼教」として一層広く広められた、すなわち民衆に政治参加の道が広げられた、という構図が浮かび上がってくるはずである。中国では宋代以降、原理的に道徳原理が政治原理とされ、政治秩序が道徳秩序によって裏付けられていたという事実から、自然に、秩序倫理の担い手が官僚層だけでなく、広く民間の有力層にも拡汎した、つまり民間の自治領域が確立した、という歴史動力のフィクションが見えてくるであろう。敏感な知識人が危機感を募らせ、「人を食う礼教」

と叫んでいる間にも、明末清初期以降に顕在化しはじめた民衆の政治意識は清末民国期にも成育しつづけ、巨視的に見て、後の国民革命や共産党革命の下地になりつつあった、別の言葉でいえば、清代に成育した「民間」社会の基礎なしに民国期の革命はなかった、というわけである。

この場合、注意すべきことは、革命が儒教に反対しながら、実は天の統治理念（「大同」「均」）が「民生主義」「共産主義」に形を変えて継承されるなど、儒教の統治理念や相互扶助倫理は革命後も国家理念や社会主義倫理としてそれぞれ継承されていた、ということである。

このように、光景に目を取られた外からの見方と異なり、内部の脈絡に沿って透視する見方からは多くの意外なつながりが見えてくる。あれほど儒教に反対していた毛沢東革命が、実は儒教倫理を社会主義倫理につなげていたとは、光景だけからは見えてこない構図である。

このように儒教の歴史の全体像の発掘作業が、外来の、あるいは特定のイデオロギーや先入観、既成の価値観、枠組などによるのではなく、あくまで中国の歴史内部の動脈に沿うようになされるとき、そこに浮かび上がるフィクショナルな映像は歴史の真実を伝える。

そこに確かに見える、「内在する脈絡」「動力の歴史」は、見えない糸によって繋げられ、いわゆる実証すなわち「目に見える証拠」はないけれど、それこそが「歴史にとっての客観存在」（ノーマンのいわゆる「つぎ目のない織物」）と敢えて言っておこう。逆にあらゆる「外来」は、それが内在しないというそれだけで、非客観とされる。

われわれは、ではどのように、中国の「歴史の客観」的な全体像に迫ることができるか。

無意図で歴史の海へ

客観的な全体像に迫り、内部の脈絡に入るにはどうしたらよいかを考える前に、なぜそれが必要か、について考えておきたい。

もし、私個人にとって、中国の歴史像を掘り起こすのは、どういう意図からか、と問われたなら、それは、ここまで例を挙げてきたような、中国の歴史像に見られるさまざまな歪曲を元の姿に返し、そもそもその歪曲自体を生み出した原因でもあるところの、世界の偏見、差別、歪曲と戦うということである、と答えるだろう。私に言わせれば、その偏見などはただ人種・民族差別という現実的な政治・社会感覚に止まらず、知的位相でも諸々な形に変装し、人々の知性に浸透し、本人たちが偏見を偏見と見なさないまでに血肉化している。とくにアジア研究の領域においては、西洋視点に頼って歴史を構図するという偏見の所作が、教科書のレベルにまで定着し、偏見の再生産が大手を振って行なわれている。

例えば東アジアでは、誰疑うとなく、〝西洋の衝撃〟への対応が「近代」の幕開けと見なされ、その結果、「近代」の成功者・日本、抵抗者・中国、落伍者・朝鮮という序列的な「近代構図」が定着した。またこの序列の反対者もこの構図を前提にしているという意味で、この構図に荷担してきた。この構図は、明らかに西洋中心主義的な歴史イデオロギーの所作であるが、アジアにおいてすら、この構図に沿って百人いれば百のストーリーが、この一世紀半の間に蓄積され、物語としてのフィクションが構築され、この山積された重層の物語、フィクションを打ち破ることは容易ではない。もしこのまま手をこまねいていれば、三百、四百のストーリーの横行と共犯関係を結ぶことになるだけなので、問題に気づいた者から、誤りや失敗を恐れず、「元の姿」というフィクションを創りはじめる必要がある。

では、歴史の内部の脈絡に入るにはどうしたらよいか。

答えは単純で、一言でいえば、素手で歴史に入る、ということである。具体的には、まず第一に、資料のなかに入るときに、特定の意図を持たない、特定のイデオロギーや外来あるいは既成の観念、枠組に従わない。第二に、対象を限定したり、特定のテーマを決めたりしない。第三に文献はできるかぎり広い範囲に広げ、読む際には拾い読みをせず、隅から隅まで読み、かつ二回以上読む。第四に文献は時代順に読む。

この四項は、事実を探し、取捨選択し、組み立てるというこれまでの前提を排除したものであり、またカーのいわゆる歴史家の介入によって事実が歴史の事実になるという考え方にも立たない。

この四項に共通する考え方は、これまで、動力、鉱脈、内部の脈絡などといってきた「元の姿」というものは、意図して見つかるものではなく、また歴史家の取捨選択によって実現するものでもなく、ただ果てしのない歴史の海のなかに、歴史家が入ってさえ行けば、そこに自ずと姿を現わすものだ、という考え方に立っている。歴史の海という考え方はカーにもあり、彼は事実とは魚屋の店先の魚ではなく大海を泳ぎまわっている魚であり、歴史家が何を捕まえるかは、「海のどの辺で釣りをするか、どんな釣り道具を使うか」[3]による、と言っている。彼が釣り場や釣り道具によって何を比喩しようとしているか、もしそれが歴史家の世界観、歴史観などを指すとすれば、私はそのことには賛成するが、しかし私にとって事実のイメージは釣竿で釣り上げられる一匹一匹の魚ではなく、遊泳する魚群である。私にとって歴史の事実は、魚群の生態であり、かつそれは歴史家に釣り上げられるのではなく、歴史家の前に現われるものである。一匹ずつ観察していては分からない魚群としての生態あるいはそれが生息する海底の生態系などが、出現する歴史なのである。

私の経験では、真の歴史像というものは、（かつて高校時代に教師から聞いた話だが）運慶が仏像を彫るとき、材木を彫って仏像を造形するのではなく、材木の中にもともとあった仏像を彫り出したと言われているように、「元の姿」は歴史家の技によって組み立て造型されたものというよりは、歴史家の目によってもともとの歴史の姿が見つけられ彫り出されたもの、である。その歴史家の目がつまり世界観であり歴史観であり、現代認識である。

「元の姿」を見つけだすためには、歴史家は自分の目をいっさいの意図から自由にしておかなければならない。そうして、文献をいっさいの目的意識や意図を棄てて、無心に隅から隅まで読んでいき、それを繰り返していると、一回目にぼんやりと頭に浮かんだ「何か」が、早ければ二回目には、文献のなかから、ある映像となって浮かんでくる。

中国でいえば、幸い中国には二十四史という王朝ごとに編纂された正史があるので、もし秦漢時代から明清時代までの二千年の歴史像を頭に描きたいと思えば、これを頭初の『史記』から無心に読んでいくことである。ただし、この二十四史は、文献としては二次資料または三次資料と目され、史料価値は低いとされている。理由は、それが編纂にあたる後代の王朝の観点や編纂官の主観によって編纂されている可能性があること、原資料が失われているため記述の正誤が確認できないこと、原資料自体に家族や郷里の人々の改竄が加えられている可能性があること、などである。しかし、にもかかわらず、例えば漢代の記述は明代の記述と異なる時代の個性というものを具えているなど、長いスパンで見れば、上の欠陥は歴史の誤差の範囲に収まる程度のものである。

私がここで二十四史を例にした理由は、まず個人的な体験にもとづいている。私が中国において、宋代を一つの境として、「天」の観念に変化が見られるということに気づいたのは、先述の「天理」という語への疑問だけでなく、二十四史を通読するうち、歴代の王朝のなかで、災害の発生したときなどに起こる天の譴責をめぐる皇帝周辺の議論に、時代に沿って温度差があり、それは時代が下るほど冷めていき、天意への帰依よりは地上の政治による対応へと変わっていく、ということに気づいたことによる。こういった事実の発見は、あらかじめテーマをもち、あるいは仮説の枠組をもっていくことによって得られることではなく、二千年の歴史を通覧していくうちに、鉱脈が発見されるように、自ずと出現してくるのである。

それが単に私個人の個別的な体験かぎりのことなら、ここで個人的な話を持ち出す必要はない。私は、およそ歴史に入ろうとする歴史家同士なら、研究の結論はともかく、そのプロセス自体につき、それぞれに自分の個別的な体験を通して共有できるものがあると信じている。無心に歴史の海に入り、あてどなくその中をさまよって飽きない人なら、いつか必ず海底から歴史の声を聞くか、歴史の鉱脈を目の当たりにするに違いない。そのとき、その人は、歴史家が歴史を語るのではなく、歴史が歴史を語っていると実感するだろう。

それが歴史のなかに入るということなのだ。

　さてここまで、一方で「元の姿」の発掘という「意図」を語り、一方で「無意図」「無心」の歴史の旅を語ってきた。ここで念のためにいうと、「元の姿」を発掘する「意図」というものも実はあってはならないし、あっても邪魔になるだけで役に立たない。というのは、「元の姿」というものは実は客観的に存在する存在物ではなく、あくまでフィクション――もちろんそれは高次に「歴史のフィクション」であるが――だからである。先ほどまでの話と矛盾していると言われるだろう。実は「元の姿」は歴史家の目に映ってはじめて存在するのであり、その場合の歴史家の目は、「元の姿」を探す目ではなく、その「目」とは、要するに歴史家の現代を生きる歴史感覚そのものである。

　カーが言っているように、いや誰かに言われるまでもなく、歴史家は「歴史の一部」であり「歴史の産物」である。(4) 歴史家は現在という歴史過程に参加しつつ、しかも現在およびそこに参加している自分を歴史的に対象化する、あるいは現在を歴史的に対象化しながら現在という歴史過程に参加することができなければならない。歴史の時間が自分のなかに流れているという実感。自分が歴史的に生かされているという実感をもつということである。この実感を実感するためには、過去をある所定の地所や時間点に固定化してはならない。過去を固定化するということは、実は歴史家が過去に対して評論者か観察者あるいは裁定者の立場に自らを固定したことを意味する。つまり、歴史家のなかで歴史の流れは止まっている。歴史家は現在を過去からの流れとして連続的にあるいは流動的に捉えられなければならない。「元の姿」が存在する「もの」ではないというのは、それは本来、過去の何かとして固定されえない、あるいは固定物として客観視されえない、ということでもある。そもそも、一般的にいって、歴史学の世界においては、歴史家の主体の参与のない客観は歴史の客観ではなく、単なる「光景」にすぎず、そこに歴史は流れていない。また、客観に参与できない主体は歴史の傍観者にすぎず、そこに歴史家の生命はない。

歴史家が流動する歴史の流れのなかにあるように、「元の姿」も実は現代という流れのなかで流動的であり、固定した姿をもっていない。それは時代の課題とともに流動し変形し、あるいは歴史家の世界観や時代感覚に応じて、違った姿を見せる。それを高次なフィクションというのは、そこに人類や時代の理念がかかっている、その理念性をいう。私がここまで述べてきた動力、鉱脈、元の姿は、二十世紀後半を生きた、日本人としての私の時代意識によって捉えようとされた、ある理念的な映像にすぎない。とすれば、私以外の現代の日本人、韓国人、中国人その他のアジア人たちには、おそらくこれとは違った映像が見える可能性がある。しかし、それらの映像の差異は、決して「百のストーリー」のばらつきでなく、私たちが求める理念としての中国像、ひいてはアジア像をかえって豊かにするであろう。

(1) E・H・カー『歴史とは何か』七ページ、清水幾太郎訳、岩波新書、一九六二年。
(2) 前掲書、四〇ページ。
(3) 前掲書、二九ページ。
(4) 前掲書、二章「社会と個人」。

結びに代えて

以下、結びに代えて、この本にとって隠れたテーマとなっていたアヘン戦争近代史観と中国における近代の問題とについて、それぞれ概述しておきたい。

この本では、現代中国を見る歴史視座として、従来の、アヘン戦争を中国における近代の始まりとする視座[1]に対して、別の視座を提供しようとした。私の見るところでは、一般に歴史の視座というものは「時限」的なものであり、恒久普遍のものではない。つまりそれは、ある歴史時期の必要に応じて生まれ、やがてその必要から解放され、その役目を終える、というものである。

では、アヘン戦争視座の時限性というのはどのような歴史時期のもので、そもそもその視座はどのような必要から生まれたものか。

まず、考えておかなければならないのは、アヘン戦争が起こった一八四〇年の時点では、あたりまえのことだが、その事件が後世に歴史の重大な転換点と目されるとは誰も考えていなかった、ということである。つまりそれは後世のある時期に誰かによって振り返られ、そう目されるようになった、ということである。

後世というのはここでは二十世紀のはじめ頃をさすが、その当時の中国の知識人にとって最大の問題は、清朝中国の存亡の危機であり、それは日清戦争の敗北を契機に持ち上がったものであった。「甲午（一八九四年、日清戦争）以後から庚子（一九〇〇年、義和団事変）までは瓜分《かぶん》（列国による植民地分割化）についての議論が極めて盛んであった[2]」、「中国の革命は甲午に端を発し、庚子以後盛んになり、辛亥（清朝が倒壊した一九一一年）に成就した[3]」と当時を回想しての述懐あるいは事実認識があるように、日清戦争の敗北は、中国の時局に関心のある知識人にそれまでにない危機感を与えた。当時圧倒的な軍事力を見せつけていたヨーロッパの国にではなく、小国と見なしてきた、しかも隣国の日本に負けたというのはショックであり、瓜分についての危機感がにわかに彼らの間に沸き起こり、その危機感は義和団事変によっていっそう現実味を増し増幅した。

しかし面積の広大な中国のことである。「今、十年前の甲午の役を思い出しますと、台湾がすでに割譲されたというのに、官僚のなかにさえそれを知らない者がいました。さすがに庚子の変のときには京畿の地は震撼しましたが、それでも東南地方の官僚士大夫のなかには何も知らずに歌舞酔飽している者がいました[4]」と上奏文に書かれるように、その事件が起こっているその時点では、その事件ですら皆に知られるということはなかった。

清王朝発祥のいわば祖宗の地の周辺で戦われた日清戦争でさえ、それを知らない官僚がいたというのであるから、まして広東という僻地での局地的な紛争に対しては、当時の時点で、朝廷・官僚政界からの大きな注目が与えられなかったのは、十分に了解できる。

おそらく時局に関心のある知識人が、アヘン戦争にまで回憶をめぐらせ、あのときが危機の発端であったと思い返すようになるまでには、それなりの時間がかかったと思われる。

「わが国は鴉片戦争以後、外国とぶつかるごとに負けなかったことがなく、国威も振るわず、七〇年になります(5)」という述懐は、ある官僚が一九一一年七月、辛亥革命直前に上奏文のなかで発したものであるが、この例では、アヘン戦争後七〇年たった瓜分の危機感の増幅のなかで、やっと甲午・庚子にさかのぼる初発の事件として、アヘン戦争が振り返られている。

そもそもアヘン戦争（鴉片戦争）という名称自体が当初からあったわけではない。当初は、「禁烟之挙」「道光禁煙の役」「英人の役」あるいは「躉船繳煙《まんせんきょうえん》（アヘン押収）の役」など、呼称はさまざまであった。あるいはアヘン戦争という呼称は、甲午以後に日本に渡った中国人留学生が日本から持ち帰った可能性も否定できない。というのは、中国語としての戦争という語自体、このような事変というべきケースには使うにふさわしくない語彙である(6)一方、アヘン戦争に触発されて書かれた、幕末の例えば佐久間象山の海防策上書(7)などには戦争の語が頻用されていることから、日本人が先に阿片戦争（鴉片戦争）という語彙を使い出したものかもしれないと考えられるからである。

用語についてはこれ以上の深入りはしない。

次の問題は、アヘン戦争が歴史上の画期とされるようになったのはいつ頃のことか、である。

まず、手がかりとして、梁啓超の「東籍月旦」（『飲冰室文集』四、一八九九年）という、日本の研究書や教科書を紹介した文のなかの東洋史に関する箇所を見てみる。

紹介された日本の東洋史の歴史書、教科書は市村瓚次郎他『支那史』（一八九二年）、桑原隲蔵《じつぞう》

『中等東洋史』（一八九八年）などだが、それらの本を手がかりにして、現在東京で閲覧できるかぎりの明治時代の東洋史教科書を通覧してみると[8]、それらのほぼすべてに「鴉片の戦争」「阿片戦争」についての記載がある。

ただしそれらは、後で再述するが、アヘン戦争を近代の開始期とする枠組ではなく、例えば桑原隲蔵『中等東洋史』でいえば、上古（周以前～春秋戦国）、中古（秦～唐）、近古（宋～明）、近世（清）という時代区分のなかの、近世期に入っている。因みにこの近世期は、欧人東漸時代と名づけられ、第一篇 清の初世、第二篇 清の塞外経略、第三篇 英人の東漸、第四篇 中央アジアの形成、第五篇 太平洋沿岸の形勢、と区分され、アヘン戦争はそのなかの第三篇に、第一章 チムール後の中央アジアの形勢とムガール帝国の盛衰、第二章 英国の印度侵略、第三章 阿片戦争、という章立てで並べられている。このように、アヘン戦争を清代史または明清史における西力東漸のなかで扱うか（前掲『支那史』）、あるいは記述はするが独立した項目は立てず「英清の交渉」という項目のなかに入れるか（秋月胤継『東洋史』一九〇一年、那珂通世『那珂東洋略史』一九〇四年）、またはアヘン戦争そのものに言及しないか（管見のかぎり内藤湖南『新制東洋史』一九三五年のみ）、さまざまだが、アヘン戦争を清代または明清代の通史のなかの、「欧人東漸」「西力東漸」という時代趨勢のなかで捉えているという点では、ほぼ大同小異である。

こういった日本の明治後期の東洋史の教科書が、どの程度当時の中国に影響したかは不明だが、中国での最初の中国史教科書といわれる夏曾佑の『最新中学中国歴史教科書』（一九〇四―〇六年にかけて成立といわれる）[9]の目次によると、上古（原始～周）、中古（秦～唐）、近古（五代～清）と、時代区分の方法は桑原にほぼ同じである。残念ながらこの本は中古のうちの隋代までで擱筆されているため、著者がアヘン戦争をどのように見ていたかは不明である。ただ清代が更化期すなわち局面転換の時代と見なされているところから、基本的には「西力東漸」の視点で見られていたのではないかと推測される。いずれにしても、一九〇〇年初期にはアヘン戦争を近代期の開始とする歴史視座は、少なくとも歴史叙述の形をとったものとしては、まだ成立していない。

この歴史視座問題の一つの転期は中国共産党の成立によってもたらされた。すなわち、その第二次全国大会宣言（一九二二年七月）のなかで、「帝国主義列強の中国侵略は一八三九年の英国艦隊の攻撃に始まる。その攻撃こそは、英国政府と商人が鴉片の毒害を中国人民に強迫した、資本主義の最も卑汚すべき強盗行為である。……帝国主義列強が中国を侵略したこの八〇年間、中国はすでに事実上彼らの植民地となりはて、中国人民は彼らの欲望はてなき巨大な口の中に呑み込まれんばかりである」[10]と、（なぜか「鴉片戦争」の名を使わずに）一八三九年を植民地化の開始期としたことが、それである。[11]

それまでの、夏曾佑のほかにも梁啓超の、黄帝から秦の統一までを「中国の中国」、秦から清の乾隆末年までを「亜州の中国」、乾隆末年から現在までを「世界の中国」とするといった「西力東漸」タイプの視座による区分法に対して、新たに植民地視座の区分が加わったわけである。

この植民地視座は、その後マルクス主義者による中国社会分析上の理論的な論戦にかかわることになった。

何幹之によれば、「一九二三年から二四年にかけて、思想界にいわゆる科学と人生観の論戦、一九二七年以後にはいわゆる中国社会性質、中国社会史の論争、一九三四年から三五年にかけてはまたいわゆる農村社会性質論戦が闘わされた」[12]。日本のマルクス主義者が資本主義論争を交えているとき、中国のマルクス主義者は、封建社会論争、アジア的生産様式論争、農村社会論争などを交えていたのであった。

アヘン戦争以前と以後は、単に植民地化したというだけでなく、封建社会が半封建社会に変化した、すなわち資本主義の圧迫を受けながら一方で新たに資本主義的な社会への変化も始まった、という歴史認識が徐々に共有されるようになり[13]、やがて毛沢東の「新民主主義論」（一九四〇年）における、革命の第一段として、アヘン戦争以後の「植民地的、半植民地的、半封建的社会形態を、一つの独立した、民主主義の社会にかえる」という革命戦略に結晶した。そして一九四九年の新中国建立以後、五四年、胡縄が雑誌『歴史研究』[14]に発表した「中国近代史の分期問題」という論文が引き金になり、三年にわたって討論が続けられ、その結果、マルクス主義的歴史観に立ったアヘン戦争近代史視座が中国全土のいわば公定の歴史視座となった。

すなわち、たまたま私の手元にある最近の中国の歴史教科書における以下の叙述がそれである。

鴉片戦争以前、中国は封建経済が支配的地位を占める国家であった。鴉片戦争以後、……西方資本主義国家は中国市場の収奪と原料の略奪により、一方で中国の自給自足的な封建経済を破壊し、他方で中国の都市商品経済の発展を刺激し、中国を徐々に世界資本主義の商品市場へと転じていった。……鴉片戦争以後、中国は封建社会から漸次半植民地、半封建社会へと転化していった。……これ以後、中国人民は外国侵略者に反対し、同時に本国の封建支配者に反対する闘争をはじめ、中国の歴史は民主主義革命の段階に入った。これにより鴉片戦争は中国の歴史の転換期、中国近代史の開幕となった。(初級中学教科書『中国歴史』人民教育出版社、一九九三年)

中国大陸の歴史界がそのように推移したとして、ではマルクス主義的な歴史観に立たなかった、例えば「西力東漸」タイプの近代史観はその後どうなったか、である。

結論的にいうと、それらは台湾や香港の歴史書のなかに生きている。その一部を紹介すると、張効乾『近代中国史』(台北華夏文化出版社、一九六〇年)は第一章を「海のルートの開拓と西学東漸」とし、明末におけるポルトガル商人の渡来から叙述を始め、自序のなかで「早期の西学輸入は明代の万暦年間にはじまり、清初の康熙年間に盛んになり、……天文学や数学、物理学など、中国の科学の基礎の建立に多大な影響を与えた」と西学の輸入の意義を特記している。また蕭一山『中国近代史概要』(台北三民書局、一九六四年)は明朝の滅亡と清朝の興起から叙述を始め、導論のなかで、アヘン戦争からの百年を近代とする近代史を批判し、李鴻章のいわゆる「二千年未曾有の大変局」とは三百年間のことであり、それは一六、七世紀以来の欧亜の通航と西力東漸のなかでの民族革命の過程をいうのではないか、という。

この中国の西力東漸史観は、日本の前掲のそれらが自国以外のアジアを対象にしているのに対し、自国史であるという点で叙述が主体的である。例えば上記『近代中国史』における「第十三章　日本の顚狂な侵略と中国の国防建設」といった章立て、また『中国近代史概要』における「第十章民族自覚と国民革命」という章立てなど。

一方、日本の東洋史では、それは自国を除いたアジア史であるため、西洋のアジア進出に対する目くばりは広域的で扱う姿勢も客観的である。例えば、前掲の桑原騭蔵『中等東洋史』におけるチムール後の中央アジアの形勢およびムガール帝国の盛衰や英国の印度侵略、ロシアの中央アジア侵略、英露両国の衝突など、そういったなかでのアヘン戦争の位置づけである。この日本の中学校の東洋史は第二次大戦後、高校の世界史として再編され、アヘン戦争でいえば、アジアにおける西力東漸のなかの一事件として扱われていたのが、世界の近代過程の一部として扱われることになった。例を昭和二十七年（一九五二）のある教科書にとると、第一部が近代以前、第二部が近代以後と分けられ、第二部の章立ては、近代ヨーロッパの誕生、ヨーロッパ絶対主義の成立、中国民族の再興と北方民族の再制覇、資本主義の発展と民主精神、市民社会の成立、自由主義と国家主義、ヨーロッパ勢力のアジア進出、帝国主義と第一次大戦、全体主義の台頭と第二次世界大戦、われわれの時代、といった順になっている。因みに「ヨーロッパ勢力のアジア進出」の章は、第一節　ヨーロッパ諸国の東洋貿易、第二節　アジアにおける英仏露三国植民地の成立、第三節　中国の動揺と日本の勃興、の三節から成っている。アヘン戦争はいうまでもなくこの第三節に入っている。この世界史における近代が、世界と言いながら実はヨーロッパの近代過程であり、アジアの近代過程はそのなかに嵌めこまれている、という構図に否応なく気づかされる。この近代の問題については、後で別に触れなおそう。ただアヘン戦争を、自らも「世界」の近代のなかに置いて外から眺める日本と、自国にふりかかる問題として内側から見る中国との間に、微妙な差異があることには留意しておきたい。

戦後の日本の中国史研究は、しかし決して中国を「外から眺める」だけのものではなかった。まずそれは戦前戦中の研究の反省から出発した。歴史学研究会は各領域を横断した全国学会として知られているが、第二次世界大戦の末期、一九四四年以降は研究活動を中止させられ、一九五〇年すなわち中華人民共和国が成立した翌年になってやっと『一九四九年度歴史学年報』を刊行した。その年報の東洋史・中国革命部門の「中国革命の勝利はもはや決定的となった」に始まる熱っぽい報告の声を聞いてみよう。

中国革命の勝利はもはや決定的となった。中国革命の成功が、世界情勢にあたえている影響は正にはかり知れないものがある。これによって新しいアジア民族の歴史がくりひろげられるであろう。……中国民族は八年にわたる――もっと正確にいえば十四年間――日本侵略にたいして英雄的な抗戦を勝ちぬいたとき、われわれは……日本帝国主義の敗北を前にして、中国革命の正確な、精密な認識を直ちにしめしえなかったことを深く反省しなければならない。日本帝国主義の人民的な社会科学にたいする弾圧は、文字通りくまなくわたっており、人民のための学問はその発展の土壌を少しももっていなかった。……戦後の中国研究は、人民的であり、民主的であるためには、新しい基盤の上にたち、新しい伝統をつくりあげてゆかなければならない。……現代中国史は現在にまでつながる中国革命の歴史であり、その本質を究明して、われわれ日本人の戦後の民主主義的諸運動にたいして指針を与えなければならない。[15]

現代中国研究は、外から眺める研究ではなく、研究を通して日本社会の変革の主体の確立が問われる、といった考え方が、少なくとも文化大革命までは、当時の多くの若い研究者の間に通用していた。

「一八四〇年のアヘン戦争を近代の始期とすることについては、多くの研究者の意見が一致している。……〈半植民地・半封建社会〉としての中国社会は、基本的には封建的な社会が〈資本主義の萌芽〉を包摂しつつ、全体としては世界資本主義体制の一環として包摂されていることを示す[16]」云々という中国大陸の観点と同軌の解説が、日本の多くの研究者のなかにある広がりをもって生きてきたのは、戦後の出発におそらく始原がある。

こうして戦後の、日本の近代中国研究者のほとんどが、アヘン戦争を中国近代の始期とする中国大陸の見方を受け入れてきた。しかし、私も含めて日本の近代中国研究者のために弁じておくと、その受け入れは決して単純な追随とか模倣とかというものではない。それにはそれを受け入れるだけの根拠があった。

まず、アヘン戦争後の中国の窮状あるいは惨状に対して、中国の研究者との間に認識あるいはシンパシー上の共有があった。そもそもアヘン戦争については、[17]すでに早く幕末にアヘン戦争の報に接した古賀侗庵《とうあん》が「非理無道」はイギリスにあると断じていたし、戦前のプロレタリア人士も「前資本主義的「未開国」支那に対する、この強制的なヨーロッパ「文明」移入の火蓋を切った……阿片戦争……かくの如く、阿片戦争以後十九世紀末までの間約半世紀余にして、支那はヨーロッパ資本主義の怪物によって四方八方からその手足を喰取られ、剰《あまつ》さへ身体中に吸血網を張りめぐらされることになった[18]」と痛みをこめて述べるなど、アヘン戦争に対する日本人のアジア感情といったものが潜在していた。先覚的な日本の知識人にとって、アヘン戦争は、一つ間違えば自らにふりかかったかもしれない事件であり、つまり、潜在意識的に、アヘン戦争は日本における近代の開幕であった[19]。事実、アヘン戦争が幕末の人士の西欧観に与えた影響は甚大であった。

次に、戦後の日本の近代中国研究は、上述の歴史学研究会の反省に見られるように、中国革命の道筋をたどることを出発点とした、という特殊事情がある。そのため、革命の道筋を当時の全体像のなかで、外から俯瞰するというよりは、革命の流れのなかに入って内側から検証するという視点に立って行なわれることが多かったため、当然のこととして、その出発点はアヘン戦争に置かれることになった。

第三に、二十世紀に入って、中国の知識人の、自民族の存亡の危機に面して発せられた憤慨、沈痛の言説の存在が、往々そのまま、アヘン戦争以後の中国に展開された反植民地・反封建の闘争の歴史あるいは当時の社会状況の様態の証明と見なされてきた。当時の憂国の人士は、誰もが例外なくアヘン戦争以後の清朝体制の腐敗、無力を弾劾した、その清朝観が、ほとんどそのまま客観的な清朝の様態と見なされがちであった。

例えば、清末の革命家陳天華が、黄宗義という明末清初期の思想家の批判的な君主論を紹介して、それを中国のルソーと呼びながら、「フランスにはルソーの後、さらに千百のルソーが続いたのに、中国では遂に一人の黄宗義もそのあとに続かなかった[20]」と慨嘆すれば、しばしばそれがそのまま中国の歴史的実態と見なされた。このような視点の対象への密着により、対象が語る「アヘン戦争以後」がそのまま研究者自身の研究視点になった。

日本の近代中国研究者がアヘン戦争を近代の開始期と見なすに至ったのには、以上のような根拠があった。

ここでアヘン戦争視座の「時限」性について触れておきたい。

この視座は、以上のように基本的に中国大陸において、革命の必要から革命路線の戦略的分析を通して、生まれた。すなわち、アヘン戦争以前を封建制社会、以後を半封建・半植民地社会とする歴史観である。こうして、中国大陸では中国共産党は、反封建・反植民地の「新民主主義」の闘争を革命路線とし、革命を成功させた。アヘン戦争近代視座は、その限りで、二十世紀とくに前半において、有効な歴史視座であった。いや、思えばアヘン戦争近代視座は、「西洋の侵入によるアジアの近代の開幕」という面だけからいえば、日本では黒船近代視座であり、それは、太平洋アジアの被抑圧民族にも共有された抵抗の歴史視座であった。その意味では、第二次大戦後、インドネシア、フィリピン、ベトナム、マレーシアなど、中国だけでなく全太平洋アジア地域に澎湃《ほうはい》として沸き起こった植民地からの解放と国民国家としての独立は、アヘン戦争近代視座によるアジアの律儀な返礼であった。

アジアは強制された近代（資本主義）によって自らを変容させ、近代（帝国主義）に抵抗し、自らを解放した。アヘン戦争近代視座は、その戦いに提供された一つのシンボル的な実践的歴史視座であった。
しかし現在の時点でこそいえることだが、中国史にとって最も大きい問題点は、この視座において、アヘン戦争を境界線にして、それ以前と以後とをあたかも異なる性格の社会のように二分したその二分法の正否にある。「異なる性格」というのは、正確には、封建社会と半封建社会の違いだが、この二分法がマルクス主義歴史理論に由来するものであったため、一方に「停滞」というイメージを、他の一方に「変化」というイメージをそれぞれ付帯させ、二つはあたかも次元を異にする社会とされた。

中国は、奴隷制度を離脱して封建制度に入ってから、その経済、政治、文化の発展は、長いあいだ発展の緩慢な状態におちいっていた。この封建時代の経済制度と政治制度は周秦以来ずっと三〇〇〇年前後も続いてきた。……地主階級のこのように残酷な搾取と圧迫によってつくりだされた農民の極端な貧窮と立ちおくれこそ、中国の社会が何千年もの間、経済のうえで、または社会生活のうえで停滞し前進しなかったことの基本的な原因である。……一八四〇年のアヘン戦争以来、中国は一歩一歩半植民地的・半封建的社会にかわってきた。……外国資本主義の侵入により、この社会の内部にははじめて大きな変化が起こった。(21)

こうして、中国の近代をアヘン戦争を境にして開幕とするという時間的な区分だけでなく、その以前と以後の間には連続性よりは断絶性が強調され、停滞の世界にアヘン戦争を境に外からの近代という変化が入りこんできた、という歴史像が形づくられた。腐朽した清朝の倒壊は、アヘン戦争以来の〝衝撃〟の力による、という歴史観がこうして確立した。

こうして、日本の高校の世界史の教科書にある、世界（西洋）の近代に包摂された中国（またアジア）、という西洋中心主義的な近代世界史の構図のなかに、中国はすっぽりと嵌めこまれたままとなった。

しかし、このようなヨーロッパ近代に包摂された中国近代像というものを保持しつづけることによって、中国はその近代を外来の近代だけに特化してしまっていいのか。

「遂に一人の黄宗羲もその後に続かなかった」という当時の革命発奮のための言説が、いつのまにか近代を「外来の近代だけ」とするための客観的な根拠とされている、という現状を放置していいのか。

二十一世紀初頭の現在、中国共産党政府が自己の統治の正当化に利用できるという以外に利用価値があると思われないこのアヘン戦争近代視座を保持することにより、われわれの近代が依然としてヨーロッパ近代に包摂され、その内に跼蹐《きょくせき》させられたままになっている、というこの窮屈な現状のほうが問題にならないか。

アヘン戦争近代視座は、二十一世紀の現在、明らかにその歴史的・時限的な任務を完了している、と考えるべきである。思うに中国の歴史研究者がアヘン戦争近代視座を脱却し、新しい歴史視座の模索を始めたとき、われわれ日中間の歴史認識問題は新しい視界の広がりを前方にすることになるであろう。そのときわれわれは、これまでの日本の近代史観、すなわち日本の近代過程を同時にアジアへの侵略過程と見なすとか、日本の近代を先進、他のアジア諸国を後進と見なすとかの、これまでの単軌的な歴史観から脱却し、新しい歴史観の獲得——すなわち西洋の近代に並ぶ中国タイプづけの見直しを検討することになるであろう。

この本では、その中国における「もう一つの近代」を縦帯というイメージで捉えてきた。そこで最後に中国における「もう一つの近代」すなわち端的に「中国の近代」という言葉づかいをめぐる問題点について触れ、またあわせてこの本のなかで使った「民間空間」という概念について説明を加えておきたい。

私はこの本では、「中国の近代」という言い方を極力避けてきた。理由は簡単で、現状では一般に「近代」といえば、ルネサンス、宗教革命、市民革命、産業革命の四項を内容としたヨーロッパの概念であるから、もしその四項抜きで「中国の近代」といえば、それは自動的に近代の擬似体あるいは特殊体とされ、結局、中国における近代はヨーロッパ近代に包摂され浸透された特殊・擬似部分を指すことになってしまうからである。つまり、アヘン戦争以後ヨーロッパに浸透された中国の擬似近代過程が、ほかでもない世界史のなかの「中国の近代」とされるのである。

近代とは資本主義の時代であり、その資本主義を先駆けたヨーロッパの世界進出の時代である、とする暗黙の、しかし牢固とした前提がそこには厳然とある。しかもその資本主義は上記の四項をセットにして具えていると見なされているため、資本主義のグローバル性が直ちに四項の世界史的な普遍性とされるという一種の詭弁あるいは勘違いが流通することになった。つまり資本主義イコール四項セットという等号公式の外に別の近代を想定することは非現実的とされるに至ったのである。

しかし、たとえそのような等号式が覇権を握ったとしても、ヨーロッパ以外の地域において、資本主義の浸透過程だけを一元的に近代過程としてしまえば、それも現実的ではない。なぜなら、浸透するということは浸透を受け入れる何らかの基体があるからで、その基体の様態は各国、各民族ごとに決して一様ではないからである。つまり、各国、各民族における近代の受容態は決して一様ではない。言い換えれば、各国、各民族はヨーロッパの近代が侵入する以前から当然のことながらそれぞれ固有の歴史過程をもっていた、ということである。

そこで私は、この本では、資本主義近代が世界をおおう様相を「横帯」のイメージで捉え、一方それを受容する側の、資本主義の流入以前と以後にわたって展開している歴史の流動を「縦帯」のイメージで捉えてみた。つまり中国で、十六、七世紀から始まった新しい変動の流れを縦帯、またアヘン戦争以後外来した資本主義近代を横帯とし、中国の近代をその縦帯と横帯の衝突、対抗、受容、変容の様態として捉えようというのである。

私が縦帯にこだわるのは、近代の一元性が世界の歴史構図に差別と偏見を生みだしていると見なすから、というだけではない、何よりも、そこに、つまり中国の歴史展開のなかに、明らかにヨーロッパとは異なる、しかしそれを名づけるとすれば近代過程というにふさわしい歴史の変動の流れを感得できるからである。

その変動の流れを、ここでただちに「もう一つの近代」と呼ぼうとは思わない。その前に、資本主義的な近代だけが唯一の近代なのか、もしそうならユーラシア大陸の両端（ヨーロッパと日本）

だけに資本主義が適応し、大陸の中間部分（中国、インド、中近東、ロシア、東欧）には不適応であったという事実をどう考えるか、という梅棹忠夫氏が提起されて以来の地域・文明間の差異の問題を処理しておかなければならない。ユーラシア大陸の中間部分に資本主義が不適応であったのは、社会が発展段階的に未開だったのか、あるいは資本主義化において未成熟であったからか、それとも、もともと社会のタイプが資本主義タイプのそれと異なっていたからか。結論的に私は、社会のタイプが異なっていた、という仮説に立って「もう一つの近代」と呼ぼうと思う。異なったタイプというのは、例えば私有財産制が確立しているか、それとも財産の共有制あるいは部分的または総体的な共同が存在するか、また個人の権利が重視されているかそれとも共同性が尊重されているか、などである。

それがタイプの差異であるとして、ではその「もう一つの近代」とはどのような歴史プロセスとして叙述されるか、という核心の問題がある。ルネサンスもなく宗教革命も市民革命もまして産業革命もないところに、どんな「もう一つの近代」の構図が描けるというのだろうか。

黄宗羲のあとに、どんな黄宗羲を続けさせた構図が描けるか。

この構図を考えるに際し、私は例えば一つの試みとして、清朝における「地方分権化」の流れを、清初から清末の各省独立に至る「民間空間」の発展の道筋として想定した。この「民間空間」というのは、分かりやすくは、宗族・ギルドなどの民間組織あるいは善会・善堂と呼ばれる公共社会活動団体(22)などの活動空間を指すが、実はそういった表向きの空間だけではない。むしろ主要には、表向きにならない、言い換えれば記録に残されていない、あるいは記録の裏側に潜む見えざる空間こそが主役である。例えば制度として顕在化しているのでなく、制度の及ばない先の、あるいは制度の隙間にある空間、または、事件や活動そのものでなく、事件や活動を生みだし、あるいは事件を事件たらしめているある磁場、または記録がないことによってかえって存在が裏づけられる日常的な生活空間、体制から排除され抑圧されることによってその存在が類推されるある関係空間、それらを民間空間と呼ぶのだが、その空間とは流動的で不定形な場であり、伸縮自在の関係であり、営みである。こういった空間を「公共空間」とか「公共領域」と呼ばないのは、それらがヨーロッパの「市民社会」とのつながりを連想させるからである。なぜそのような連想を避けるかといえば、中国の「公共空間」とは、実は体制や制度からはみ出した、あるいは逆に体制や制度とかかわりながらの、官と民の複雑な緊張関係によって構築される一種の「連動空間」とでも名づけるべき、官民連動の空間と思われるから。(23)

その空間に仮に「民間」の名を冠したとしても、それは必ずしも「官」に対抗する、あるいは「官」から自立した「民」ではなく、時には官と結び、官を補佐し、官を利用し、あるいは官と対抗し、時には官との関係を持たない、あるいは持ちたくとも持てない「民」である。

そういった「民間」があればこそ官民の「連動」は可能になる。この場合、「空間」が生かされることが制度を曲げることであったり、制度が生きることが「空間」を変形させることであるなど、「空間」は「制度」と複雑に絡みながら、その絡み合った関係のなかに政治は生きる。例えば、官は時には弾圧によって制度を維持するが、その一方、その弾圧は多様な「民間空間」と逆説的に共存する。

そういう「民間空間」に、宋代から清末、あるいは明末から清末民国にかけて、どのような持続と変化が生じてきたか、その持続と変化の流れをどのように「地方分権化」による「王朝制度倒壊革命」という構図として描けるか。いずれにせよ、清末に各省の独立宣言のかたちで王朝制度を倒壊させたには、「民間空間」の複雑な成熟があってこそそのことであるとの仮説立てをする。こういった仮説的構図を描くための方法を確かめるために、付「歴史叙述の意図と客観性」を書いたが、ここでその一、二の事例を挙げておこう。

例えば曾静事件。雍正帝《ようぜい》のとき、曾静という人士が雍正帝の政治を批判したというかどで投獄、雍正帝じきじきの取調べを受けたが、その罪状のなかに封建(24)（地方自治）論を主張したという項目があった。自白によって曾静に影響を与えたと見なされ、しかし当時すでに死去し埋葬されていた呂留良に対し、墓を暴いて処刑、家族にも連座極刑、という見せしめの厳刑が下された。一方、曾静に対しては白状と反省、自己批判をさせ、その取調べの記録を『大義覚迷録』と名づけて、全国の学宮に配布し、イデオロギー教育の材料にした。一方、曾静事件が裁判に付されているさなかの雍正七年に、龔健颺《きょうけんよう》という漢人官僚が、各州県の東南西北にその土地のなかから選ばれた「郷官」を設置し、州県の行政に補佐させる、という提案を奏請したのに対し、満人重臣の鄂爾泰《オルタイ》が、さっそく反対の意見を上奏して、当地の有力者を当地で行政に当たらせたならば、縁故によって政事が曲げられるという反対理由を述べている(25)。結果は、「郷官」設置の奏請は容れられなかったが、漢人官僚と満人重臣の偶然とは思われないこの意見対立、またそもそも「郷官」設置の奏請という行為を生み出した背景など、そこに複雑な「空間」の存在を感得しないではおられない。すなわち、一方でイデオロギーとしての「封建」は中央政府段階で弾圧の対象にされながら、その同じ時期に実質的な「封建」である「郷官」の設置が地方官僚によって上奏されているという、この体制内部のすれ違いあるいはねじれに注意したい。この「郷官」が地方の有力者によって担われ、官民共同(あるいは相互補完)の一種の地方自治活動の接点となるものであることは容易に想像できるのに、それは「封建」とは見なされていない。また、ここでは表面的には「郷官」設置の上奏が却下され、「地方自治」は制度化されなかったと見えるが、われわれは、実際は、この上奏が出された州県の行政システムのなかに、地方レベルでの自治の実質的な連動体、すなわち官民の入り組んだ複雑な空間の存在があったこと、その連動体としての空間は、却下の後にも別の名目で活動が続いたであろうことなどに想到すべきである。満人官僚はその連動空間を制度的に合法化することに直感的に危険を感じとったのではないか。

黄宗羲のあとに想定される千百の黄宗羲とは、おそらくこのように制度化されないさまざまな空間の重層とつながり、また広がりとして捉えられるものに違いない。なお、清末の地方自治を奏請するおびただしい上奏文のなかの多くに「郷官」制を地方議会に擬して論じているものを見ることができ、「以前唱えられた郷官の制は、実は議院制と同じであった」(26)といわれる所以となっている。辛亥革命において、実際は議院制は施行されなかったが、省権力のなかで諮議局や郷紳、省紳が果たした役割を考えるとき、「郷官」を必要とした「空間」の行く末が辛亥革命につながるものであることを知るであろう。

「もう一つの近代」を歴史像として造型するために、こういう「民間空間」の展開する物語として組み上げなければならない。われわれには、近代アヘン戦争視座を否定することまでは簡単にできるけれど、十六、七世紀から二十世紀に至る「もう一つの近代」を造型するまでには、なお相当の時日を要するであろう。

この本には、8「礼教と革命中国」、9「もう一つの「五・四」」の二論文を収めたが、この二論文は近代アヘン戦争視座に依拠せずに清末民国の事態をみればどう見えるか、を書いたものである。いずれも「もう一つの近代」を造型するための前準備である。私は多くの中国研究者、とくに中国人の中国研究者がこの作業に加わって来られることを期待する。

（1）たとえば日本では、小島晋治・丸山松幸『中国近現代史』の「中国近代史は一八四〇年に起こったアヘン戦争にはじまる。その敗戦によって中国は近代の世界に組み込まれ、それとともにかつてない深刻な変化が生じてきたからである」（岩波新書、一九八六年）、また中国では李鼎声『中国近代史』の「われわれはアヘン戦争から今日までを中国近代史の領域とする。……理由は簡単で、アヘン戦争は中国が国際資本主義の波濤に襲われ、社会内部に変化を引き起こした重大な開始時期だからである」（光明書局、一九三三年）など。

（2）汪精衛「駁革命可以召瓜分説」『辛亥革命前十年間時論選集』第二巻上、所収、三聯書店、一九〇六年。

（3）「中国国民党第一次全国代表大会宣言：中国的現状」『中国国民党第一、第二次全国代表大会会議史料』、中国第二次歴史档案館編（上）所収、江蘇古跡出版社、一九八六年九月。

（4）『清末籌備立憲档案史料』第一編、三、黄瑞麟摺、一九〇七年（中華書局、一九七九年）。

（5）同右。

(6) 因みにデータベースの検索による『清史稿』の「戦争」の用例は九例。「日俄（露）戦争」三例、「中西戦争」「俄土戦争」各一例、「与朝鮮或有戦争」二例、「両国……倘戦争不息」一例、「人習戦争」一例。

(7) 象山の藩主宛のこの上書は、天保十三年（一八四二）十一月に出された。この年の八月にアヘン戦争の終止符として「中英南京条約」が締結されているから、わずか三カ月後にそれに触発されて書かれたわけで、対応の迅速さがわかる。この上書の冒頭に、彼は「去る亥年（一八三九）以来イギリス夷、唐山（中国のこと）と乱を構へ、頻《しきり》に戦争に及び候趣《おもむき》、風聞も仕候義に付き」云々とアヘン戦争への危機感を書いている（「海防に関する藩主宛上書」、日本思想大系55『渡辺華山 高野長英 佐久間象山 横井小楠 橋本左内』所収、岩波書店、一九七一年）。因みに水野忠邦輩下の三羽烏の一人渋川六蔵が忠邦に提出した幕政改革意見書（天保十二年八月）も、アヘン戦争に言及して「戦争」の語を使っている。また、武蔵国府中六社神社祠官、猿渡容盛が安政五年（一八五八）徳川斉昭に上程した意見書のなかにもアヘン戦争を「満清英夷之戦争」と書いている箇所があるという（以上、小西四郎「阿片戦争の我が国に及ぼせる影響」『駒沢史学』創刊号、一九五三年）。

(8) 東京都北区栄町の東書文庫（東京書籍の付属文庫）で、明治以来の教科書が閲覧できる。

(9) この本は国民政府の教科書に採用され、『中国古代史』と名を変えて、一九三五年に商務印書館から、また一九五五年に三聯書店から、また最近は「二十世紀中国史学名著」の一冊として、河北教育出版社（呉懐祺編、二〇〇〇年）から、それぞれ刊行された。なおこの書については、尹達主編『中国史学発展史』（中州古籍出版社、一九八五年）第三章、第二節「夏曾佑与〈中国古代史〉」および右記、呉懐祺氏の前書きを参照。

(10) 厳密にいえば一八三九年は林則徐がアヘンを焼却した年で、英軍の攻撃開始は一八四〇年六月のことである。

(11) 『六大以前——党的歴史材料』中共中央書記処編、人民出版社、一九八〇年、所収。

(12) 何幹之『中国社会性質問題論戦』第一章、生活書房、一九三七年

(13) 当時の区分法の二、三を紹介すると。郭沫若：原始共産制（西周以前）、奴隷制（西周）、封建制（春秋～清代）、資本制（最近百年）。陶希聖：氏族社会（殷～春秋）、奴隷社会（春秋～漢末）、封建社会（三国～宋）、先

資本主義社会（宋～清末）、半植民地社会（現代）、李季：原始共産主義的生産方式時代（唐虞以前～虞末）、亜細亜的生産方式時代（夏～殷末）、封建的生産方式時代（周～周末）、前資本主義生産方式時代（秦～鴉片戦争）、資本主義的生産方式時代（鴉片戦争～現代）その他。以上、葵尚思『中国歴史新研究法』第五章（中華書局、一九四〇年）より。

(14) 〝歴史研究〟編集部編『中国近代史分期問題討論集』、三聯書店、一九五七年、参照。

(15) 細井昌治「中国革命史」『歴史学の成果と課題――一九四九年歴史学年報』歴史学研究会編所収、岩波書店、一九五〇年八月。この年報は大戦末期に活動を停止させられて以降、戦後にはじめて復刊したもので、一九四三年から四九年までの研究に関する報告である。

(16) 山根幸夫編『中国史入門』Ⅷ 近代Ⅰ、山川出版社、一九八三年。

(17) 古賀はオランダのアヘン戦争を知らせる風説書に接し、それが清国に非理があるとしていたのに対し、「清、直にして、英機黎は曲、非理無道は実に英機黎に在り」としていた（前田勉「幕末日本のアヘン戦争観――古賀侗庵を起点にして」『日本思想史学』25号、一九九三年）。

(18) プロレタリア科学研究所編『支那問題講話』第一章 大清帝国の崩壊、プロレタリア科学研究所、一九三〇年。

(19) アヘン戦争が幕末日本に与えた影響については、注(7)小西論文、注(17)前田論文以外に、岩下哲典「アヘン戦争情報の伝達と受容」（『明治維新と国際社会』所収、吉川弘文館、一九九九年）の研究史概観を参照。

(20) 島田虔次「陳天華『獅子吼』」『中国革命の先駆者たち』筑摩書房、一九六五年、参照。

(21) 毛沢東『中国革命と中国共産党』第一章 第一、二節。

(22) 夫馬進『中国善会善堂史研究』同朋舎出版、一九九七年、参照。

(23) 大谷敏夫氏が考究しておられる清代後葉の郷董制のあり方は官民の「連動」を考える場合に興味深い。ここでは官と郷紳の連合・補完関係の上に地方公共事業の展開があることが分かる。同氏『清代政治思想史研究』第一章、汲古書院、一九九一年、参照。

(24) 「封建」については、『中国思想文化事典』(東京大学出版会、二〇〇一年)の「封建・郡県」項目を参照。

(25) 鄂爾泰「議州県不必設副官郷官疏」『皇朝経世文編』巻十八、吏政。

(26) 陳熾『庸書』議院。

あとがき

この本は、ある意味で型破りな本だと思う。ある意味でというのは、一つにはアカデミズムの目から見て、ということである。そもそも『中国の衝撃』という書名自体がすでにアカデミックではない。それどころか一つ間違えば、安っぽいセンセーショナリズムに堕ちかねない。

この本の構成にしても形式上のまとまりというものがない。構成として、序章とⅠ部（1〜3）はいわばジャーナリスティックな時事論、Ⅱ部（4〜7）は歴史研究上の視座の問題、そしてⅢ部の論文二本（8-9）と付章に置かれた論文一本がやっと研究論文であるから、まず研究書として読まれる方は、焦点の置き場所に困惑されるだろう。一方、現代中国への関心から時事論を読もうとする方は、いつのまにか視座の問題や研究論文の世界へ連れて行かれて、これも大いに困惑されるであろう。

いったいこの本は、読者としてどういう読者を想定しているのか？

私は、その疑問に対し、例えば研究者層とか、教育界、ジャーナリズム界、経済界とかというふうに階層や職域に分けてお答えすることができない。読者層として特定のある階層や職域の方が頭に浮かぶということがないのである。

私が読者層として想定するのは、階層や職域に関係なく、次のような方々である。

(一)　まず、最近の、つまり一九七八年の改革開放時代に入って以降の中国、とくに九〇年代以降の中国の変化に知的な関心を抱いておられる方。

(二) 上記のうち、中国の最近の経済的な変化を、単に「バブル的」な急成長という現象理解だけでなく、その深層に流れているものを、どういう歴史的な視座で見たらよいか模索しておられる方。

(三) また、資本家を共産党員に迎えたり、最近では私有財産の保護を憲法の条文に加えたりしている中国の現状において、そもそも中国革命とは何だったのか、中国における社会主義の行方はどうなるかなど、中国の社会主義革命の来し方行く末に関心のある方。

(四) さらに、中国への関心が、実は日本への関心を土台としておられる方。すなわち、中国の現在の変化を日本はどう受けとめたらよいか、現在の日中関係はどういう位置関係にあり、今後の日中関係はどうあるのがよいかを考えようとしている方。

(五) またさらに、明治維新以来、西欧中心主義的な近代観に立って「近代化」を進めてきた日本の座標軸は、二十一世紀にもこれまでどおりでいいのか、現在中国をはじめアジア諸国・諸地域に生じつつある巨大な変化のなかで、座標軸自体の見直しの必要に迫られているのではないかと予感しておられる方。

この本は以上のような方々に読んでいただきたいと思って編まれた。

そこで、まず序章では、現在の中国の現状を見るのに、これまでの単純な対中優越感を以ってしていていいのか、これまでと違うスタンスで中国に接しなければならないのではないかと、ややセンセーショナルに問題を提起した。

そしてⅠ部では、われわれが日頃、無意識的に抱いている中国への偏見、あるいは日中間に存在していながら気づかれないままの断層・齟齬や、日中間で問題化されながら依然として解決していない問題などをとりあげ、ときにはこれまでの常識とは異なった角度から分析しまた吟味を加えた。

その分析や吟味には、何をどこからどう見るかという視座の問題がつきまとうが、Ⅱ部ではその視座の問題をもっぱら提起した。具体的には、これまで中国の近代を見る場合、誰もが疑うことなく前提としてきた視座、すなわち中国の近代をアヘン戦争から始まるとする西欧中心主義的な見方に対し、十六、七世紀から胎動が始まる地方分権化の新しい潮流を念頭に、それを中国における「近代」過程の上流とみる（下流は省独立の辛亥革命）見方を提起した。そして、新しい視座によって中国を見た場合、これまでの中国革命や現代中国への見方がどう変わるかを、視座の問題として示した。

もっともこの視座についてはこれまでも折にふれて述べてきたことで、私にとって必ずしも新しい問題提起とはいえないが、今回はアヘン戦争視座を「時限的」なものとはっきり指摘したうえ、これまで断片的にしか述べてこなかったことを総合した点が新しい、といえる。

Ⅲ部では、その新しい視座によって、実際に論文を書き、これまで西欧中心主義（マルクス主義）的な近代観によって捉えられてきた、五・四運動や「礼教」の世界に対し、違う角度からの光を当て、見えなかった世界を見えるようにした。この二論文は、この本に収録するにあたり、私の大学時代の中国語クラスの同窓の友で経済界などで活躍してきた学友たちを念頭にした。当時の私たちにとっては、中国といえば革命中国であり、革命の淵源としての一九一九年五月四日の北京大学の学生たちによる対日抗議デモすなわち五・四運動や、そのなかで叫ばれた封建「礼教」打倒のスローガンは、時代を超えて私たちの学生運動やスローガンとして継承されていた。以来、半世紀近い月日が流れているが、当時われわれが無意識裡に西欧近代の目で捉えていた五・四や「礼教」が、中国内部からの目で捉えればどう見えるか、ということは、同窓の知的好奇心のいまだに旺盛な友人たちには、きっと興味を持ってもらえると思い、収録した。この二本の論文によって、読者は中国における社会主義が実は中国に伝統的な社会システムや社会秩序観念を土台にしていた、ということに理解を及ぼされるであろう。

この本には表に出ないある一つの大きなテーマがある。それは、ヨーロッパの近代過程とは異タイプの「もう一つの近代」を中国に想定するとして、ではその中国タイプの近代過程は、具体的にどのようなストーリーをもつのか、という問題である。私はⅡ部で、しばしばアヘン戦争近代視座（「横帯」）の限界を語り、これに十六、七世紀視座（「縦帯」）を重ねあわせてクロスさせるよう主張した。

しかしその「縦帯」は、実質的には、十六、七世紀の地方分権論と二十世紀初頭の辛亥革命との間をいわば点と点とを結ぶといった貧しい線状のもので、とうていストーリーの名には値しない。ヨーロッパの近代がストーリーとして語られはじめてからすでに幾百年、今ではそれは燦然たる殿堂として聳え立っている。後近代であれ反近代であれ超近代であれ、それらの営みはすべてこの燦然たる殿堂あればこそのことであり、殿堂はそれらを否定的な媒介にすることによって、歴史産物としての存在理由をいっそう活性化させている。一方、中国には、否定しようにも批判しようにも、そもそもその殿堂がない。ある人は、ヨーロッパがその殿堂の普遍的な価値をすでに自ら否定し、殿堂自体を相対化し去ろうとしているとき、新たに時代遅れの殿堂を中国に建立してどうしようというのか、と言う。しかし実は、彼らヨーロッパによる自己否定や自己の世界の相対化とは、彼らの世界内部でヨーロッパだけを世界として自己完結したものであり、外の世界との関係で相対化されたということではない。地球内部が相対化されるのと地球自体が別の惑星との関係で相対化されるのとでは質が違う。外のもう一つの殿堂と対比されてこそ既成の殿堂は真に相対化される。そのためには、もう一つの殿堂は設計図も素材もあくまで自前のものでなければならない。それをどのように建立するか。その困難な課題は一朝一夕にはできない。多くの人が幾年も幾十年もあるいは幾百年も力を合わせていかなければならない。

問題はその方法である。知られている既成の素材や設計図がすべてヨーロッパ製であるとき、中国製の素材を選び、中国製の設計図を作成し、殿堂に組み立て組み上げるためにどういう方法があるか。結論的にいえば、それは中国の歴史のなかに深く入ること、それに尽きる。その方法を模索して、付章の論文を書いた。だからこの論文は主に中国史の専門家に向けて書かれたものといってよい。この本にとって付章とした所以である。

私は、中国思想史の研究に携わるようになった初発のときから、中国にとって近代とは何かという問題に直面し、以来、その課題を抱えつづけてきて今日に至っている。ただ近代の問題を抱えながら、専門がいわゆる中国近代思想史ではなく、つまりアヘン戦争以後の中国だけを専門として研究対象にするのではなく、唐・宋代から元・明・清代をへて近現代までを視野に入れているため、この私の研究は既成の近代枠の中に入りきれない。近代枠をはみ出たところで近代を考えようとするため、近代について、日頃から中国に歴史の長篇のストーリーが欠如していることを痛感させられる。とくに西欧中心主義的な歴史造型によって偏見や差別の原因となっている既成の「中国近代」の歴史像は、二十一世紀の今日、もはや書き直しに猶予してはいられないとさえ思われる。

この本の各論文の初出は以下のとおりである。

序　〝中国の衝撃〟　国際文化会館特別講演、二〇〇一年十二月。「国際文化会館会報」13-1号、二〇〇二年四月／「「日中・知の共同体」の航跡」『アジアセンターニュース』22、二〇〇二年十一月、国際

交流基金アジアセンター
1 中国と「自由」「民主」 「日中・知の共同体」東京会議報告「日中間に今も続く冷戦思考」、二〇〇〇年十二月
2 現在形の歴史とどう向き合うか 原題「日中間に知の共同空間を創るために」『世界』二〇〇〇年九月号、岩波書店／原題「新世紀の第一歩」『しにか』二〇〇一年一月号、大修館
3 歴史認識問題はどう問題なのか 「日中・知の共同体」東アジア会議（東京）報告、二〇〇二年八月
4 歴史のなかの中国革命 岩波市民セミナー「問い直す中国革命」講演「中国革命の文脈を考える」、一九九九年十一月。原題「再考・中国革命」『大航海』一九九九年十二月号、新書館
5 中国近代の源流 ハーバード大学ハーバード・イェンジン研究所講演「近代中国を俯瞰する新しい視座」、二〇〇〇年九月
6 再考・辛亥革命 原題「縦帯と横帯（思想の言葉）」『思想』二〇〇二年十一月号、岩波書店
7 二つの近代化の道 「文明間の対話」国際センターホール（イラン、テヘラン）講演「東アジアにおける二つの近代化の道」、一九九九年九月
8 礼教と革命中国 アジア法哲学シンポジウム「変わりゆく世界における法―アジアが選ぶ多様な道」（京都）報告、一九九六年十月。今井弘道他編『変容するアジアの法と哲学』一九九九年、有斐閣
9 もう一つの「五・四」 『思想』一九九六年十二月号
付 歴史叙述の意図と客観性 国際日本文化研究センター共同研究「認知と叙述のスタイルから見た歴史教育」（京都）報告「歴史叙述に関する諸問題」、二〇〇二年一月。渡辺雅子編『叙述のスタイルと歴史教育』二〇〇三年、三元社

ただし、上記のうち、7、8、9の三本および付章の一本を除いたその他の論文は、序章の論文が後半部分をすっかり改めたほか、他はすべて原型をとどめないほどに手直しを加えた。

この本は、門倉弘氏の牽引力によって速いテンポで編集が進んだ。ふり返れば、氏の手によって東京大学出版会から刊行された本は、『中国前近代思想の屈折と展開』（一九八〇年）、『方法としての中国』（一九八九年）、『アジアから考える』全七巻（共編、一九九三—九四年）、『中国思想文化事典』（共編、二〇〇一年）と、計四点ある。この本のほかに現在『中国思想史』（共著）を刊行すべく準備中であるから、合計すれば全部で六点になる。多くはないとしても、決して少なくはない点数である。門倉氏と私の間にはアジア共感といったような共同の感情があり、それがこれらの刊行物の底に流れている。

今回の本もそのようなアジア感情を底流にして編集された。ここでいうアジア感情とは、私についていえば、有色人種感情のことである。あるとき、中国の留学生が、上野公園で大道芸をしてテラ銭をもらっている白人を見て、胸が熱くなった、と言った。北京でもいつか街頭でこんな風景を見るようになりたいと思った、と彼は言った。白人が有色人種の国へやって来て、有色人種から街頭で銭をもらう、という光景は、彼のなかの、彼の生まれる前の、祖父や曽祖父の時代から受け継いできた無意識の通念を一八〇度転倒させるものであったろうか。そのことが彼のなかに形容のできない感情を生み出したのだろう。ただしその感情とはこれまでの人種差別に逆人種差別で仕返しをするという単純なものではなく、その底にあるのは百数十年に及ぶもっと複雑な中国の悲哀であり、あるいは四百年に及ぶアジアの鬱屈であると思われた。

そんな話を聞けば、私は自分が六〇年代の初期に中国へ行ったとき、汽車の中で、中国製の汽車が中国人の管理のもと、中国大陸を走っている、ということに感動したこと、同じ頃インドで国内線の飛行機の中で、ああ今インドの空をインド人の操縦する飛行機に乗って飛んでいる、と感動したことなどを反射的に思い起こす。そのとき、その留学生と私の間には、言葉の要らない共通の歴史的な感情の流通がある。それが私のいうアジア感情である。私は偏狭な人種主義や民族主義を主張しようとしているのではない。強いて説明すれば、それは差別と偏見から自由になることを願う人類共同の感情である。地球上から抑圧―被抑圧の構図を無くすための願望と決意の感情である。

私はこの本を読んでくださる方々のなかにも、おそらく潜在しているであろうその共同の感情が、この本を読むことによって引き出されることを願う。その感情が今後の日中間の諸問題解決の基礎になると思われるので。そして、この本での私の言説が、決して中国びいきや中国弁護からのものではなく、日本人の中国に対する故なき優越感や偏見の是正だけを願っているものである、ということも分かっていただけるのではないか、と思われるため。

この本は定年を迎えた門倉氏のほかに、若い編集者山本徹氏の気配りとご尽力によっている。事項や文献の調べ物についていろいろとお世話になった。察するに山本氏とも、表立って話しあったことはないけれど、上の共同感情の交流が底流としてあったと思う。門倉氏と山本氏のご尽力に改めて謝意を表したい。

二〇〇四年三月十四日

追記　序章やI部でしばしば言及しているように、「日中・知の共同体」というプロジェクトを、国際交流基金アジアセンターの援助を得て、昨年までの六年間、実施してきた。この本は広い意味でそのプロジェクトの成果である。試行錯誤の連続であったこのプロジェクトに理解を示し、援助を続けてくださった国際交流基金アジアセンターの関係各位に敬意を表し、かつ深甚の謝意を表したい。

著者略歴

1932年　名古屋に生れる
1956年　東京大学文学部卒業
　　　　埼玉大学教授，一橋大学教授を経て
1981年　東京大学文学部教授
1993年　大東文化大学教授
現　在　東京大学名誉教授，中国社会科学院（大学院）
　　　　名誉教授，文学博士

主要著書

「中国前近代思想の屈折と展開」（1980年，東京大学出版会）
「李卓吾」（1985年，集英社）
「儒教史」（共著，1987年，山川出版社）
「方法としての中国」（1989年，東京大学出版会）
「中国の思想」（1991年，放送大学教育振興会）
「アジアから考える」全七巻（共編，1993-94年，東京大学出版会）
「中国の公と私」（1995年，研文出版）
「中国という視座」（共著，1995年，平凡社）
「中国思想文化事典」（共編，2001年，東京大学出版会）

中国の衝撃

2004年5月21日　初　版

[検印廃止]

著　者　溝口雄三《みぞぐちゆうぞう》

発行所　財団法人　東京大学出版会

代 表 者　五味文彦

113-8654　東京都文京区本郷7-3-1 東大構内
電話 03-3811-8814・振替 00160-6-59964

印刷所　大日本法令印刷株式会社
製本所　誠製本株式会社

ISBN 4-13-013022-6　Printed in Japan